백점 사회와
내 교과서 비교하기

단원		1. 국토와 우리 생활	
주제명		❶ 우리 국토의 위치와 영역	❷ 우리 국토의 자연환경
백점 쪽수	개념북	6 ~ 17	18 ~ 29
	평가북	2 ~ 7	8 ~ 11
교과서별 쪽수	동아출판	6 ~ 25	26 ~ 55
	교학사	10 ~ 29	30 ~ 59
	금성출판사	12 ~ 27	28 ~ 57
	김영사	10 ~ 27	28 ~ 57
	미래엔	12 ~ 33	34 ~ 57
	비상교과서	10 ~ 27	28 ~ 57
	비상교육	10 ~ 29	30 ~ 59
	아이스크림미디어	10 ~ 31	32 ~ 57
	지학사	8 ~ 29	30 ~ 53
	천재교과서	16 ~ 35	36 ~ 63
	천재교육	10 ~ 27	28 ~ 57

백점 사회

초등사회 5학년
학습 계획표

학습 계획표를 따라 차근차근 사회 공부를 시작해 보세요.
백점 사회와 함께라면 사회 공부, 어렵지 않습니다.

단원	교재 쪽수		학습한 날	
1. **국토와 우리 생활**	5 ~ 9쪽	1일차	월	일
	10 ~ 13쪽	2일차	월	일
	14 ~ 17쪽	3일차	월	일
	18 ~ 21쪽	4일차	월	일
	22 ~ 25쪽	5일차	월	일
	26 ~ 29쪽	6일차	월	일
	30 ~ 33쪽	7일차	월	일
	34 ~ 37쪽	8일차	월	일
	38 ~ 41쪽	9일차	월	일
	42 ~ 46쪽	10일차	월	일
	47 ~ 52쪽	11일차	월	일
2. **인권 존중과** **정의로운 사회**	53 ~ 57쪽	12일차	월	일
	58 ~ 61쪽	13일차	월	일
	62 ~ 65쪽	14일차	월	일
	66 ~ 69쪽	15일차	월	일
	70 ~ 73쪽	16일차	월	일
	74 ~ 77쪽	17일차	월	일
	78 ~ 81쪽	18일차	월	일
	82 ~ 85쪽	19일차	월	일
	86 ~ 90쪽	20일차	월	일
	91 ~ 96쪽	21일차	월	일

백점 사회 무료 스마트러닝

첫째 QR코드 스캔하여 1초 만에 바로 강의 시청

둘째 최적화된 강의 커리큘럼으로 학습 효과 UP!

❶ 교과서 핵심 개념을 짚어 주는 개념 강의
❷ 다양한 수행 평가에 대비할 수 있는 수행 평가 문제 풀이 강의

#백점 #초등사회 #무료

백점 초등사회 5학년 강의 목록

단원	강의명	개념 강의	수행 평가 문제 풀이 강의
1. **국토와 우리 생활**	❶ 우리 국토의 위치와 영역 (1)	6쪽	50쪽
	❶ 우리 국토의 위치와 영역 (2)	10쪽	
	❶ 우리 국토의 위치와 영역 (3)	14쪽	
	❷ 우리 국토의 자연환경 (1)	18쪽	51쪽
	❷ 우리 국토의 자연환경 (2)	22쪽	
	❷ 우리 국토의 자연환경 (3)	26쪽	
	❸ 우리 국토의 인문환경 (1)	30쪽	52쪽
	❸ 우리 국토의 인문환경 (2)	34쪽	
	❸ 우리 국토의 인문환경 (3)	38쪽	
2. **인권 존중과** **정의로운 사회**	❶ 인권을 존중하는 삶 (1)	54쪽	94쪽
	❶ 인권을 존중하는 삶 (2)	58쪽	
	❶ 인권을 존중하는 삶 (3)	62쪽	
	❷ 인권 보장과 헌법 (1)	66쪽	95쪽
	❷ 인권 보장과 헌법 (2)	70쪽	
	❸ 법의 의미와 역할 (1)	74쪽	
	❸ 법의 의미와 역할 (2)	78쪽	96쪽
	❸ 법의 의미와 역할 (3)	82쪽	

활용 방법

❶ 오늘 공부할 단원과 내용을 찾습니다.

❷ 내가 배우는 교과서의 출판사명에서 공부할 내용에 해당하는 쪽수를 찾습니다.

❸ 찾은 쪽수와 해당하는 백점 사회는 몇 쪽인지 확인합니다.

	2. 인권 존중과 정의로운 사회		
❸ 우리 국토의 인문환경	❶ 인권을 존중하는 삶	❷ 인권 보장과 헌법	❸ 법의 의미와 역할
30 ~ 41	54 ~ 65	66 ~ 73	74 ~ 85
12 ~ 17	24 ~ 29	30 ~ 35	36 ~ 41
56 ~ 81	88 ~ 113	114 ~ 131	132 ~ 153
60 ~ 79	90 ~ 111	112 ~ 129	130 ~ 149
58 ~ 79	88 ~ 109	110 ~ 125	126 ~ 143
58 ~ 81	88 ~ 109	110 ~ 127	128 ~ 147
58 ~ 79	88 ~ 113	114 ~ 135	136 ~ 155
58 ~ 79	88 ~ 111	112 ~ 129	130 ~ 149
60 ~ 79	88 ~ 107	108 ~ 127	128 ~ 145
58 ~ 79	88 ~ 107	108 ~ 127	128 ~ 149
54 ~ 75	82 ~ 103	104 ~ 125	126 ~ 147
64 ~ 83	94 ~ 115	116 ~ 131	132 ~ 149
58 ~ 79	86 ~ 105	106 ~ 123	124 ~ 139

백점

BOOK 1 개념북

사회 5·1

구성과 특징

BOOK ❶ 개념북

검정 교과서를 통합한 개념 학습

2023년부터 초등 5~6학년 사회 교과서가 국정 교과서에서 **11종 검정 교과서**로 바뀌었습니다.

'백점 사회'는 **검정 교과서의 개념과 자료를 통합적으로 학습**할 수 있도록 구성하였습니다. 단원별 검정 교과서 학습 내용을 확인하고 **개념 학습, 문제 학습, 마무리 학습**으로 이어지는 3단계 학습을 통해 검정 교과서의 통합 개념을 익혀 보세요.

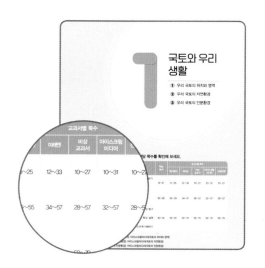

---

1 개념 학습　　　　　　2 문제 학습

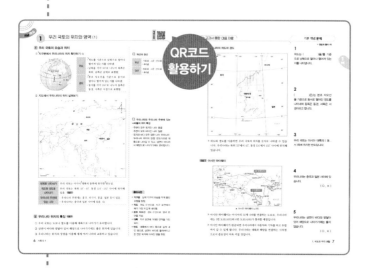

○ 검정 교과서의 내용을 통합한 **핵심 개념**을 익힐 수 있습니다.

○ **교과서 통합 대표 자료**를 통해 다양한 자료를 학습할 수 있습니다.

○ QR코드를 통해 개념 이해를 돕는 **개념 강의**가 제공됩니다.

○ 학습한 개념을 **문제**로 파악합니다.

○ **교과서 공통 핵심 문제**로 여러 출판사의 공통 개념을 익힐 수 있습니다.

○ **교과서별 문제**를 풀면서 다양한 교과서의 개념을 학습할 수 있습니다.

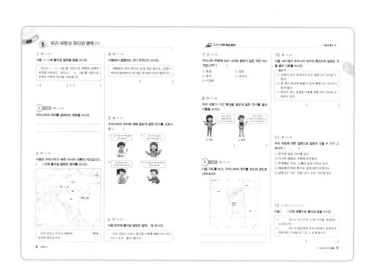

❸ 마무리 학습

교과서 통합 핵심 개념에서
단원의 개념을 한눈에
정리할 수 있습니다.

단원 평가와 **수행 평가**를 통해
단원을 최종 마무리할 수 있습니다.

BOOK ❷ 평가북

학교 시험에 딱 맞춘 평가 대비

묻고 답하기 / 중단원 평가

묻고 답하기를 통해 핵심 개념을 다시 익히고, 중단원
평가를 통해 자신의 실력을 확인할 수 있습니다.

대단원 평가 / 수행 평가

대단원 평가와 수행 평가를 통해 학교 시험에 대비할
수 있습니다.

차례

국토와 우리 생활

1 우리 국토의 위치와 영역

2 우리 국토의 자연환경

3 우리 국토의 인문환경

▶ 단원별 학습 내용과 교과서별 해당 쪽수를 확인해 보세요.

단원	학습 내용	백점 쪽수	교과서별 쪽수				
			동아출판	미래엔	비상 교과서	아이스크림 미디어	천재교육
1 우리 국토의 위치와 영역	• 우리 국토의 위치와 영역 특성 설명하기 • 우리 국토를 사랑하는 마음 배우기 • 우리 국토의 구분 기준 파악하기	6~17	6~25	12~33	10~27	10~31	10~27
2 우리 국토의 자연환경	• 우리나라 지형의 특징 설명하기 • 우리나라 기후의 특징 탐구하기 • 자연재해의 종류와 대책 알아보기	18~29	26~55	34~57	28~57	32~57	28~57
3 우리 국토의 인문환경	• 우리나라 인구, 도시 발달의 특징 알기 • 우리나라 산업, 교통 발달의 특징 알기 • 인구, 도시, 산업, 교통 간의 관계 이해하기	30~41	56~81	58~79	58~79	58~79	58~79

[단원명이 다른 교과서]

1 단원: 비상교과서(국토의 위치와 영역), 아이스크림미디어(국토의 위치와 영역)

2 단원: 비상교과서(국토의 자연환경), 아이스크림미디어(국토의 자연환경)

3 단원: 비상교과서(국토의 인문환경), 아이스크림미디어(국토의 인문환경)

1 우리 국토의 위치와 영역 (1)

1 우리 국토의 모습과 위치

① 지구본에서 우리나라의 위치 확인하기 ➕

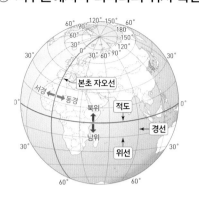

위도	• 적도를 기준으로 남북으로 얼마나 떨어져 있는지를 나타냄. • 남북을 각각 90°로 나누어 북쪽은 북위, 남쪽은 남위로 표현함.
경도	• 본초 자오선을 기준으로 동서로 얼마나 떨어져 있는지를 나타냄. • 동서를 각각 180°로 나누어 동쪽은 동경, 서쪽은 서경으로 표현함.

② 지도에서 우리나라의 위치 살펴보기

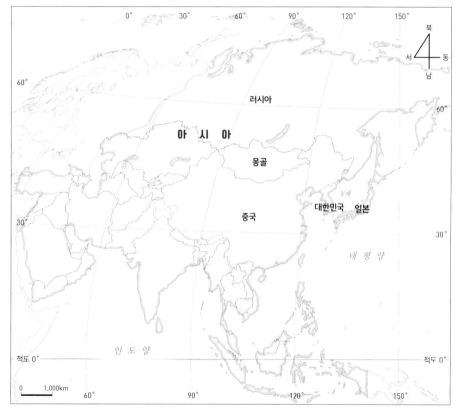

방위로 나타내기	우리 국토는 아시아 대륙의 동쪽에 위치한 반도임.
위도와 경도로 나타내기	우리 국토는 북위 33°~43°, 동경 124°~132° 사이에 위치해 있음. 자료1
우리나라 주변에 있는 나라	• 우리나라 주변에는 중국, 러시아, 몽골, 일본 등이 있음. • 우리나라는 중국과 일본 사이에 있음. ➕

2 우리나라 위치의 특징 자료2

① 우리 국토는 도로나 철도를 이용해 대륙으로 나아가기 유리합니다.

② 삼면이 바다와 맞닿아 있어 해양으로 나아가기에도 좋은 위치에 있습니다.

③ 우리나라는 위치의 장점을 이용해 세계 여러 나라와 교류하고 있습니다.

➕ 위선과 경선

위선	가로로 그은 선으로 위도를 나타냄.
경선	세로로 그은 선으로 경도를 나타냄.

➕ 우리나라와 우리나라 주변에 있는 나라들의 위치 특징

• 주변이 모두 육지인 나라: 몽골
• 주변이 모두 바다인 나라: 일본
• 육지와 바다 모두 접한 나라: 우리나라
• 우리나라 위치의 장점: 반도이므로 대륙으로 나아갈 수 있고, 삼면이 바다라서 해양으로 나아가기에도 편리합니다.

용어 사전

● **지구본** 실제 지구의 모습을 작게 줄인 모형을 말함.
● **적도** 위도 0°선으로, 지구 표면에서 해가 가장 뜨겁게 내리쬠.
● **본초 자오선** 경도 0°선으로, 영국 런던을 지남.
● **대륙** 지구 표면에 거대한 면적을 가진 육지.
● **반도** 대륙에서 바다 쪽으로 길게 내민 땅으로, 삼면이 바다로 둘러싸이고 한 면은 육지에 이어진 땅을 뜻함.

● 정답과 풀이 1쪽

자료 1 **우리나라의 위도와 경도**

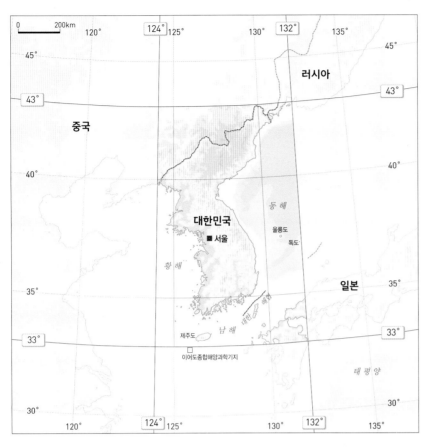

> 위도와 경도를 이용하면 우리 국토의 위치를 숫자로 나타낼 수 있습니다. 우리나라는 북위 33°에서 43°, 동경 124°에서 132° 사이에 위치해 있습니다.

자료 2 **아시안 하이웨이**

▲ 아시안 하이웨이 노선도

> 아시안 하이웨이는 아시아의 32개 나라를 연결하는 도로로, 우리나라에는 1번 도로(AH1)와 6번 도로(AH6)가 통과할 예정입니다.

> 아시안 하이웨이가 완공되면 우리나라에서 자동차와 기차를 타고 유럽까지 갈 수 있게 됩니다. 우리나라는 대륙과 해양을 연결하는 시작점으로서 중요성이 더욱 커질 것입니다.

1

위도는 (   )을/를 기준으로 남북으로 얼마나 떨어져 있는지를 나타냅니다.

2

(   )은/는 본초 자오선을 기준으로 동서로 떨어진 정도를 나타내며 동쪽은 동경, 서쪽은 서경이라고 합니다.

3

우리 국토는 아시아 대륙의 (동 , 서)쪽에 위치한 반도입니다.

4

우리나라는 중국과 일본 사이에 있습니다.

(○ , ×)

5

우리나라는 삼면이 바다와 맞닿아 있어 해양으로 나아가기에는 좋지 않습니다.

(○ , ×)

1 우리 국토의 위치와 영역 (1)

1 ➕ 11종 공통

다음 ㉠, ㉡에 들어갈 알맞은 말을 쓰시오.

> 위도는 (㉠)을/를 기준으로 북쪽과 남쪽의
> 위치를 나타내고, 경도는 (㉡)을/를 기준으로
> 동쪽과 서쪽의 위치를 나타냅니다.

㉠ (   ), ㉡ (   )

2 서술형 ➕ 11종 공통

우리나라의 위치를 살펴보는 방법을 쓰시오.

_____

_____

3 ➕ 11종 공통

다음은 우리나라가 속한 아시아 대륙의 지도입니다.
( ) 안에 들어갈 알맞은 방위를 쓰시오.

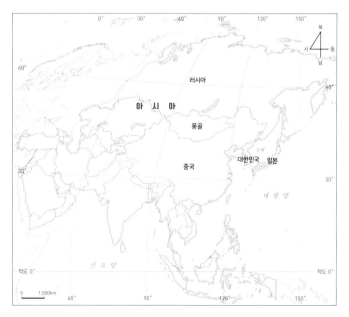

> 우리 국토는 아시아 대륙의 (   )쪽에
> 위치한 반도입니다.

4 ➕ 11종 공통

다음에서 설명하는 것이 무엇인지 쓰시오.

> 대륙에서 바다 쪽으로 길게 내민 땅으로, 삼면이
> 바다로 둘러싸이고 한 면은 육지에 이어진 땅입니다.

(   )

5 ➕ 11종 공통

우리나라의 위치에 대해 알맞게 말한 친구를 고르시
오. (   )

① 우리 국토는 바다에 접해 있지 않습니다.

② 우리나라는 중국과 일본 사이에 있습니다.

③ 우리 국토는 삼면이 육지에 이어져 있습니다.

④ 우리 국토는 적도 부근에 위치하고 있습니다.

6 ➕ 11종 공통

다음 빈칸에 들어갈 알맞은 말에 ◯표 하시오.

> 우리 국토는 도로나 철도를 이용해 대륙으로 나아
> 가기 (유리 , 불리)합니다.

7 ✚ 11종 공통

우리나라 주변에 있는 나라로 알맞지 <u>않은</u> 것은 어느 것입니까? (   )

① 몽골
② 일본
③ 중국
④ 러시아
⑤ 이집트

8 ✚ 11종 공통

우리 국토가 가진 특징을 알맞게 말한 친구를 골라 이름을 쓰시오.

▲ 지송   ▲ 동훈

(   )

9 서술형 ✚ 11종 공통

다음 지도를 보고, 우리나라의 위치를 위도와 경도로 나타내시오.

_____

_____

10 ✚ 11종 공통

다음 보기 에서 우리나라 위치의 특징으로 알맞은 것을 골라 기호를 쓰시오.

─ 보기 ●─

㉠ 주변이 모두 육지라서 모든 대륙으로 나아갈 수 있다.
㉡ 한 면이 바다와 맞닿아 있어 해양으로 나아가기 쉽지 않다.
㉢ 위치가 갖는 장점을 이용해 세계 여러 나라와 교류하고 있다.

(   )

11 ✚ 11종 공통

우리 국토에 대한 설명으로 알맞은 것을 두 가지 고르시오. (,   )

① 중국과 일본 사이에 있다.
② 아시아 대륙의 서쪽에 위치한다.
③ 주변에는 미국, 스페인 등의 나라가 있다.
④ 대륙에서 바다 쪽으로 길게 내민 모양이다.
⑤ 남위 33°~43°, 서경 124°~132° 사이에 있다.

12 금성출판사, 비상교과서 외

다음 (   ) 안에 공통으로 들어갈 말을 쓰시오.

• (   )은/는 아시아의 32개 나라를 연결하는 도로입니다.
• (   )이/가 완공되면 우리나라에서 유럽까지 자동차와 기차를 타고 갈 수 있게 됩니다.

(   )

1 우리 국토의 위치와 영역 (2)

1 우리나라의 영역

① **영역의 의미**: 한 나라의 주권이 미치는 범위를 말하며 영토, 영해, 영공으로 이루어집니다.

② **영역의 중요성**: 우리나라의 영역에는 우리 주권이 미치기 때문에 다른 나라가 함부로 들어올 수 없습니다.

③ **영역의 구성** 자료 1 → 영토는 땅, 영해는 바다, 영공은 하늘에서의 영역이에요.

영토	• 한 나라의 주권이 미치는 땅으로, 영해와 영공을 정하는 기준이 됨. • 영토의 끝: 동쪽 끝은 경상북도 울릉군 독도, 서쪽 끝은 평안북도 용천군 마안도, 남쪽 끝은 제주특별자치도 서귀포시 마라도, 북쪽 끝은 함경북도 온성군 유원진 
영해	• 우리나라 영토 주변의 바다로, 영해를 설정하는 기준인 기선으로부터 12해리(약 22km)까지임. • 섬이 적은 동해안과 제주도, 울릉도, 독도는 썰물일 때의 해안선을 기준으로 영해를 정함. • 서해안과 남해안은 섬이 많아서 가장 바깥에 위치한 섬들을 직선으로 이은 선을 기준으로 영해를 정함.
영공	우리나라의 영토와 영해 위에 있는 하늘의 범위임.

└ 우리나라의 영역에는 우리 주권이 미치기 때문에 다른 나라 비행기나 배가 우리나라의 영역에 들어오려면 허가를 받아야 해요.

2 우리 국토를 사랑하는 마음

① **국토의 중요성**

• 국토는 우리가 살아가는 곳이며, 국토가 없으면 국가나 국민이 존재할 수 없습니다.

• 우리나라의 고유한 역사와 문화가 담겨 있는 소중한 공간이고, 후손에게 물려주어야 할 삶의 터전입니다.

• 국토를 사랑하는 마음을 가지고 우리 국토를 살기 좋은 곳으로 만들기 위해 노력해야 합니다.

② **비무장 지대** 자료 2

위치	휴전선을 기준으로 남과 북에 각각 2km 내에 위치한 영역
특징	• 남북한이 군인이나 무기를 원칙적으로 배치하지 않기로 한 곳임. • 오랫동안 사람들의 발길이 닿지 않으면서 생태계가 보존되어 그 가치를 새롭게 인정받고 있음. • 한반도의 평화와 생태계 보전의 중요성을 생각해 보게 하는 장소임.

③ **독도**

위치	우리 국토의 동쪽 끝
특징	• 우리나라 사람들이 살고 있는 삶의 터전임. • 화산 활동으로 생겨났으며 우리나라는 섬 전체를 천연기념물로 보호하고 있음. • 수산 자원과 지하자원이 풍부하고, 국토방위에 중요한 장소임.

우리나라 영토의 끝

우리나라의 영토는 한반도와 한반도에 속한 여러 섬으로 이루어져 있습니다. 영토를 기준으로 영해와 영공의 범위가 달라지기 때문에 우리 영토의 끝을 아는 것이 중요합니다.

독도

우리나라 사람들은 독도에 직접 방문하거나 독도 관련 행사에 참여하는 등 다양한 방법으로 독도 사랑을 실천하고 있습니다.

용어 사전

• **주권** 다른 나라의 간섭 없이 나라의 중요한 일을 스스로 결정하는 권리.

• **해리** 바다의 거리를 잴 때 쓰는 단위로, 1해리는 1,852m임.

• **국토방위** 적의 침략으로부터 나라를 지킴.

자료1 우리나라의 영토와 영해

▶ 우리나라의 영토는 한반도와 한반도에 속한 여러 섬으로 이루어져 있습니다. 영해의 기준이 되는 선을 정할 때 동해안과 제주도, 울릉도, 독도는 썰물일 때의 해안선을 기준으로 합니다.

▶ 서해안과 남해안은 해안선이 복잡하고 섬이 많아서 가장 바깥에 있는 섬들을 직선으로 이은 선을 기준으로 합니다.

자료2 비무장 지대의 가치

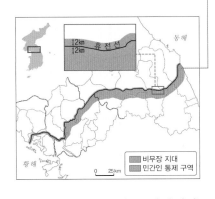

비무장 지대 부근에는 민간인 통제 구역이 있어요.

▶ 비무장 지대 주변은 생태계가 보존되어 그 가치를 새롭게 인정받고 있습니다. 최근 도라 전망대, 제3땅굴, 두타연 계곡 등을 보려고 이곳을 찾는 사람들이 늘어나면서 한반도의 평화와 생태계 보전의 중요성을 다시 한 번 생각해 보게 합니다.

비무장 지대에 있는 판문점에서 정전 협정이 체결되었어요.

● 정답과 풀이 2쪽

1
영토, 영해, 영공으로 이루어진 한 나라의 주권이 미치는 범위를 (   )(이)라고 합니다.

2
(영공 , 영토)은/는 한 나라의 주권이 미치는 땅입니다.

3
영해는 한 나라의 주권이 미치는 하늘의 범위입니다.
(○ , ×)

4
(   )은/는 휴전선을 기준으로 남과 북에 각각 2km 내에 위치한 영역입니다.

5
독도는 우리 국토의 (동쪽 , 서쪽) 끝에 위치하는 우리나라 사람들이 살고 있는 삶의 터전입니다.

1 우리 국토의 위치와 영역 (2)

1 ➕ 11종 공통

다음 ( ) 안에 공통으로 들어갈 말을 쓰시오.

> ( )은/는 국민의 생활 공간이자 한 나라의
> 주권이 미치는 범위를 말합니다. ( )은/는
> 영토, 영해, 영공으로 이루어집니다.

( )

2 ➕ 11종 공통

영역의 구성에 대한 설명을 선으로 알맞게 연결하시오.

(1) 영토 •

• ㉠ 한 나라의 주권이 미치는 땅의 범위

(2) 영해 •

• ㉡ 한 나라의 주권이 미치는 하늘의 범위

(3) 영공 •

• ㉢ 한 나라의 주권이 미치는 바다의 범위

3 ➕ 11종 공통

다음 지도의 ㉠~㉣은 우리나라 영토의 각 끝을 나타낸 것입니다. '제주특별자치도 서귀포시 마라도'의 위치를 찾아 기호를 쓰시오.

( )

4 ➕ 11종 공통

우리나라 영토의 북쪽 끝은 어디입니까? ( )

① 경상북도 울릉군 독도
② 함경북도 온성군 유원진
③ 평안북도 용천군 마안도
④ 인천광역시 옹진군 백령도
⑤ 제주특별자치도 서귀포시 마라도

5 ➕ 11종 공통

우리나라의 영해에 대한 설명으로 알맞은 것을 두 가지 고르시오. (,)

① 우리나라 바다의 영역이다.
② 한반도와 한반도에 속한 여러 섬이다.
③ 영해를 설정하는 기준선으로부터 2해리까지이다.
④ 동해안은 밀물일 때의 해안선을 기준으로 영해를 정한다.
⑤ 다른 나라의 배는 허가 없이 우리나라 영해에서 물고기를 잡을 수 없다.

6 서술형 ➕ 11종 공통

우리나라 영해의 범위를 쓰시오.

_____

_____

7 ➕ 11종 공통

다음 빈칸에 들어갈 알맞은 말에 ○표 하시오.

> 서해안과 남해안은 섬이 많아서 가장 (바깥에 , 안에) 위치한 섬들을 직선으로 이은 선을 기준으로 영해를 설정합니다.

8 ➕ 11종 공통

다음 보기 에서 우리나라의 영공에 대한 설명으로 알맞은 것을 모두 골라 기호를 쓰시오.

> ┌─ 보기 ●────────────────────
> ㉠ 우리 주권이 미치는 범위이다.
> ㉡ 한반도와 한반도에 속한 여러 섬이다.
> ㉢ 다른 나라 비행기가 허가 없이 들어올 수 있다.
> ㉣ 우리나라의 영토와 영해 위에 있는 하늘의 범위이다.

(   )

9 ➕ 11종 공통

다음 (   ) 안에 들어갈 알맞은 말을 쓰시오.

(   )은/는 우리 국토의 동쪽 끝에 위치한 섬으로 우리나라 사람들이 살고 있는 삶의 터전입니다.

(   )

10 ➕ 11종 공통

독도에 대해 <u>잘못</u> 설명한 친구를 고르시오.

(   )

① 화산 활동으로 생겨났습니다.

② 우리나라의 영토에 해당하지 않습니다.

③ 수산 자원과 지하자원이 풍부합니다.

④ 우리나라는 섬 전체를 천연기념물로 보호하고 있습니다.

[11-12] 다음 글을 읽고, 물음에 답하시오.

> <u>이곳</u>은 휴전선을 기준으로 남과 북에 각각 2km 내에 위치한 영역입니다. 이곳에서는 군인이나 무기를 원칙적으로 배치하지 않기로 하였습니다.

11 미래엔, 비상교육 외

윗글의 밑줄 친 '이곳'이 어디인지 쓰시오.

(   )

12 서술형 미래엔, 비상교육 외

위에서 설명하는 장소의 가치를 쓰시오.

_____

_____

1 우리 국토의 위치와 영역 (3)

1 우리 국토의 지역 구분

① **큰 산맥과 하천을 중심으로 한 지역 구분**: 남북으로 긴 우리나라는 큰 산맥과 하천을 중심으로 북부, 중부, 남부 지방으로 구분할 수 있습니다. ➕

② **자연환경에 따른 지역 구분**: 우리나라는 오래전부터 산이나 호수, 강, 바다, 제방 등의 자연환경을 기준으로 지역을 구분하였습니다.

▲ 의림지

▲ 금강

▲ 조령(문경 새재)

③ **전통적인 지역 구분** 자료 1

관서 지방	철령관을 기준으로 서쪽 지방을 말함.
관북 지방	철령관을 기준으로 북쪽 지방을 말함.
관동 지방	철령관을 기준으로 동쪽 지방을 말함. 관동 지방은 태백산맥을 기준으로 영동 지방과 영서 지방으로 나뉨.
해서 지방	바다인 경기만의 서쪽에 있어서 '해서'라고 함.
경기 지방	'경기'는 왕이 사는 도읍의 주변 지역을 뜻함.
호서 지방	의림지의 서쪽에 위치하고 금강(옛 이름 호강)의 서쪽에 있어서 '호서'라고 함.
호남 지방	금강(옛 이름 호강)의 남쪽에 있어서 '호남'이라고 함.
영남 지방	조령 고개의 남쪽에 있어서 '영남'이라고 함.

2 우리나라 행정 구역의 위치

① **행정 구역의 의미**: 나라를 효율적으로 관리하려고 나눈 지역을 말합니다.

② **우리나라의 행정 구역** 자료 2

• 우리나라는 북한 지역을 제외하면 특별시 1곳, 특별자치시 1곳, 광역시 6곳, 도 8곳, 특별자치도 1곳으로 이루어져 있습니다.

• 특별시, 특별자치시, 광역시에는 시청이 있고, 도와 특별자치도에는 도청이 있습니다. ┌ 시청은 특별시와 특별자치시, 광역시의 행정 업무를 담당하는 곳이고, 도청은 도와 특별자치도의 행정 업무를 담당하는 곳이에요.

특별시(1곳)	서울특별시
특별자치시(1곳)	세종특별자치시
광역시(6곳)	인천광역시, 대전광역시, 대구광역시, 광주광역시, 울산광역시, 부산광역시
도(8곳)	경기도, 강원도, 충청북도, 충청남도, 전라북도, 전라남도, 경상북도, 경상남도 ➕
특별자치도(1곳)	제주특별자치도

➕ **북부, 중부, 남부 지방으로 구분하기**

북부 지방	지금의 북한 지역을 말함.
중부 지방	휴전선 남쪽부터 소백산맥과 금강 하류가 만나는 선까지임.
남부 지방	중부 지방의 남쪽 지역을 말함.

➕ **각 도의 이름이 정해지는 데 쓰인 지역의 중심 도시**

충청도	충주 + 청주
강원도	강릉 + 원주
경상도	경주 + 상주
전라도	전주 + 나주
황해도	황주 + 해주

용어 사전

● **산맥** 높은 산들이 길게 이어져 큰 줄기를 이루고 있는 지형.

● **철령관** 군사적으로 매우 중요한 고개인 철령에 외적의 침입을 막으려고 건설한 방어 시설.

● **도읍** 한 나라의 수도가 있는 곳으로, 당시에는 한양(지금의 서울)이었음.

● **의림지** 충청북도 제천시에 있는 저수지.

● 정답과 풀이 3쪽

자료 1 우리나라의 전통적인 지역 구분

▶ 우리나라는 옛날부터 자연환경으로 지역을 구분하였습니다. 이와 같은 지역 구분은 오늘날 행정 구역을 정하는 기초가 되었습니다.

자료 2 우리나라의 행정 구역

▲ 우리나라의 행정 구역

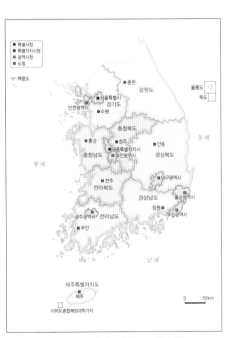

▲ 우리나라의 행정 구역(남한)

▶ 지금 우리가 사용하는 행정 구역은 조선 시대 초기에 정해졌습니다. 조선 시대에는 전국을 8개의 도로 나누고, 각 도의 명칭을 정할 때는 대부분 그 지역의 중심 도시 이름을 따서 정했습니다.

1

우리나라는 오래전부터 산이나 호수, 강, 바다 등의 (   ) 을/를 기준으로 지역을 구분하였습니다.

2

우리나라의 전통적인 지역 구분에서 (   ) 지방은 왕이 사는 도읍의 주변 지역을 뜻합니다.

3

경기만의 서쪽에 있는 지역을 해서 지방이라고 합니다.

(○ , ×)

4

영남 지방은 조령 고개의 동쪽에 있어서 붙여진 이름입니다.

(○ , ×)

5

우리나라는 북한 지역을 제외하면 특별시 1곳, (   ) 1곳, 광역시 6곳, 도 8곳과 특별자치도 1곳으로 이루어져 있습니다.

1 우리 국토의 위치와 영역 (3)

1 ⊕ 11종 공통

우리 국토를 세 곳으로 나눌 때 북부 지방에 해당하는 지역은 어디입니까? (　　　)

① 휴전선 남쪽 지역
② 지금의 북한 지역
③ 중부 지방의 남쪽 지역
④ 소백산맥의 북쪽 지역
⑤ 휴전선 남쪽부터 금강 하류까지

2 ⊕ 11종 공통

우리 국토의 지역을 구분할 때 기준이 되는 자연환경으로 알맞지 <u>않은</u> 것은 어느 것입니까? (　　　)

① ▲ 호수　　　② ▲ 산

③ ▲ 다리　　　④ ▲ 강

3 ⊕ 11종 공통

다음 빈칸에 들어갈 알맞은 말에 ◯표 하시오.

(경기 , 관서)는 왕이 사는 도읍의 주변 지역을 뜻합니다.

4 ⊕ 11종 공통

해서 지방에 대한 설명으로 알맞은 것은 어느 것입니까? (　　　)

① 관동 지방의 동쪽에 위치해 있다.
② 지금의 남한 지역에 있는 지방이다.
③ 금강의 남쪽에 있어서 붙은 이름이다.
④ 철령관을 기준으로 북쪽 지방을 말한다.
⑤ 경기만의 서쪽에 있어서 붙은 이름이다.

5 서술형 ⊕ 11종 공통

다음에 나타난 영남 지방의 지역 이름에 담긴 의미가 무엇인지 쓰시오.

영남 지방은 곳에 따라 비가 내리겠으며, 구름이 많겠습니다.

_____

_____

6 ⊕ 11종 공통

우리나라의 전통적인 지역 구분에 대해 알맞게 말한 친구를 골라 이름을 쓰시오.

- 민성: 금강의 남쪽 지방을 관북 지방이라고 해.
- 은영: 철령관을 기준으로 서쪽 지방을 경기 지방이라고 해.
- 리나: 의림지의 서쪽에 위치하고 금강의 서쪽에 있는 지방을 호서 지방이라고 해.

(　　　　　　　)

7 ✚ 11종 공통

다음과 같이 나라를 효율적으로 관리하려고 나눈 지역을 무엇이라고 하는지 쓰시오.

(   )

8 미래엔, 천재교과서 외

도의 명칭에 담겨 있는 그 지역의 중심 도시 이름이 무엇인지 (   ) 안에 들어갈 말을 각각 쓰시오.

⑴ 경상도 – 경주의 '경' 자와 (   )의 '상'자를 따서 정했습니다.

⑵ 충청도 – 충주의 '충' 자와 (   )의 '청' 자를 따서 정했습니다.

9 서술형 미래엔, 비상교과서 외

강원도라는 명칭에 담긴 의미를 그 지역의 중심 도시 이름을 포함하여 쓰시오.

_____

_____

[10-12] 다음은 북한 지역을 제외한 우리나라의 행정 구역이 나타난 지도입니다. 물음에 답하시오.

10 ✚ 11종 공통

위 지도에 나타난 지역 중 특별시를 찾아 이름을 쓰시오.

(   )

11 ✚ 11종 공통

위 지도에 나타난 행정 구역 중 도와 도청이 있는 지역이 잘못 짝지어진 것은 무엇입니까? (   )

① 강원도 – 춘천   ② 전라남도 – 무안
③ 경기도 – 수원   ④ 경상북도 – 상주
⑤ 충청북도 – 청주

12 ✚ 11종 공통

위 지도를 보고 알 수 있는 내용으로 알맞지 <u>않은</u> 것은 어느 것입니까? (   )

① 특별시는 1곳이다.
② 전라북도의 도청은 전주에 있다.
③ 광역시는 6곳, 도는 8곳으로 이루어져 있다.
④ 특별시, 특별자치시, 광역시에는 시청이 있다.
⑤ 특별자치시는 2곳이며 세종특별자치시, 제주특별자치시이다.

2 우리 국토의 자연환경 (1)

1 우리나라의 지형

① **지형의 의미**: 우리가 살고 있는 땅의 다양한 생김새를 말합니다. ⊕

② **우리나라에서 볼 수 있는 다양한 지형** 자료1

산지	높이 솟은 산들이 모여 이룬 지형으로, 하천과 평야의 발달에 영향을 줌.
하천	빗물과 지하수가 낮은 곳으로 흘러가면서 만든 크고 작은 물줄기를 말함.
평야	하천 주변에 넓고 평탄한 땅으로, 사람들이 모여 삶.
해안	바다와 육지가 만나는 곳으로, 갯벌이나 모래사장이 있음. ⊕
섬	바다로 둘러싸인 땅으로, 우리나라에는 약 3,300여 개의 섬이 있음.

└ 사람들은 이러한 지형의 영향을 받아 다양한 모습으로 살아가고 있어요.

2 우리나라 산지, 하천, 평야의 모습 ⊕

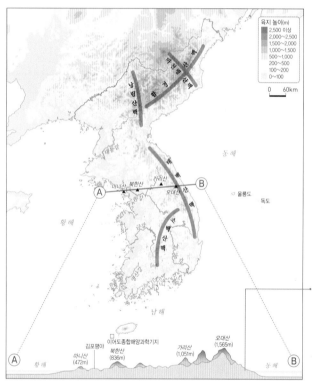

→ 우리나라의 지형 단면도를 보면 우리나라는 대체로 동쪽이 높고 서쪽이 낮은 지형이라는 것을 알 수 있어요.

◀ 우리나라의 지형도(위)와 지형 단면도(아래)

산지	국토의 약 70%가 산지이고, 높고 험한 산지는 대부분 북동쪽에 많음.
하천	큰 하천은 대부분 동쪽에서 서쪽으로 흘러감.
평야	비교적 낮은 평야는 서쪽에 발달함.

3 우리나라 해안의 특징과 이용 모습 자료2

동해안	길게 뻗은 모래사장이 펼쳐진 곳이 많아 해수욕장이 발달함.
서해안	• 밀물과 썰물의 차가 커서 갯벌이 발달함. • 갯벌에서 해산물이나 소금을 채취함.
남해안	크고 작은 섬이 많고, 물이 깨끗하며 파도가 잔잔해 양식업이 발달함.

⊕ **우리나라에서 볼 수 있는 다양한 지형의 모습**

▲ 산지　　▲ 하천

▲ 해안　　▲ 섬

⊕ **항구 도시(인천광역시)**

해안 지역의 항구 주변에는 사람들이 많이 모이고 교류가 활발하여 도시로 발달하기도 합니다.

⊕ **우리나라 지형의 특징**

대체로 동쪽이 높고 서쪽이 낮은 동고서저의 지형임.

↓

큰 하천은 대부분 동쪽에서 서쪽으로 흘러감.

↓

비교적 낮은 평야가 서쪽에 발달함.

용어 사전

● **갯벌** 육지와 바다 사이에서 하루에 두 번씩 모습을 드러내는 바닷가의 땅.

● **양식업** 물고기나 김, 조개류 따위를 인공적으로 길러서 번식하게 하는 생산업.

자료 1 다양한 지형을 이용한 모습

→ 다목적 댐은 수력 발전, 홍수 조절, 농업용·공업용 물의 공급 등 여러 목적을 위해 지은 댐이에요.

사람들이 여가 생활을 즐길 수 있도록 높은 산지에 스키장이나 휴양 시설을 만듦.

하천 중·상류에 다목적 댐을 건설해 홍수와 가뭄을 예방하고 전기를 생산함.

하천 중·하류 주변의 넓은 평야에서는 사람들이 논농사를 많이 지음.

하천 주변의 평야에는 옛날부터 많은 사람이 모여들어 큰 도시가 발달했음.

자료 2 우리나라의 해안 지형

서해안
└ 서해안은 해안선이 복잡하고 갯벌이 발달했어요.

동해안
└ 동해안은 해안선이 단조로워요.

남해안
└ 남해안은 해안선이 복잡하고 섬이 많아요.

▲ 동해안의 해수욕장
(강원도 강릉시)

▲ 서해안의 갯벌
(충청남도 보령시)

▲ 남해안의 양식장
(경상남도 통영시)

● 정답과 풀이 4쪽

1

산지, 하천, 평야, 해안, 섬 등과 같은 땅의 생김새를 (　　　　) (이)라고 합니다.

2

우리나라는 국토의 약 30%가 산지입니다.

(○ , ×)

3

우리나라의 큰 하천은 대부분 동쪽에서 서쪽으로 흘러갑니다.

(○ , ×)

4

(하천 , 해안)은 바다와 육지가 만나는 곳으로, 갯벌이나 모래사장이 있습니다.

5

(동해안 , 서해안)은 해안선이 단조롭고, 해수욕장이 발달했습니다.

[1-2] 다음 지형의 모습을 보고, 물음에 답하시오.

▲ 산지　　　　▲ 평야　　　　▲ 섬

1 ✛ 11종 공통

위 지형 중 다음 설명과 관련된 것을 찾아 쓰시오.

> 바다로 둘러싸인 땅으로, 우리나라에는 약 3,300여 개가 있습니다.

(　　　　　　　　)

2 ✛ 11종 공통

위 지형 중 산지와 관련된 땅의 생김새로 가장 알맞은 것은 어느 것입니까? (　　　　)

① 바다와 육지가 만나는 곳
② 사방이 바다로 둘러싸인 땅
③ 하천 주변에 넓고 평탄한 땅
④ 높이 솟은 산들이 모여 이룬 지형
⑤ 하루에 두 번씩 모습을 드러내는 바닷가의 땅

3 ✛ 11종 공통

우리나라의 지형에 대한 설명으로 알맞은 것에 ○표, 알맞지 <u>않은</u> 것에 ×표 하시오.

(1) 우리나라는 국토의 약 70%가 평야입니다.

(　　　　)

(2) 높고 험한 산지는 대부분 북동쪽에 많습니다.

(　　　　)

(3) 우리나라에는 태백산맥, 낭림산맥, 소백산맥 등의 산맥이 있습니다. (　　　　)

4 서술형 ✛ 11종 공통

다음 사진과 같은 우리나라의 큰 하천이 동쪽에서 서쪽으로 흘러가는 까닭을 쓰시오.

_____

_____

5 ✛ 11종 공통

하천 중·하류 주변 평야에서 사람들이 지형을 이용하는 모습은 무엇입니까? (　　　　)

① 스키장과 휴양 시설을 만든다.
② 넓은 땅에서 논농사를 짓는다.
③ 산비탈을 깎아 밭농사를 짓는다.
④ 관광객들이 찾는 해수욕장을 만든다.
⑤ 사람들이 자연을 즐길 수 있는 휴양림을 만든다.

6 금성출판사, 천재교과서 외

다음 사진과 같이 사람들이 하천 중·상류에 홍수와 가뭄을 예방하고 전기를 생산하기 위해 건설한 것은 무엇인지 쓰시오.

(　　　　　　　　)

7 ➕ 11종 공통

다음 보기 에서 사람들이 지형을 이용하는 모습으로 알맞은 것을 모두 골라 기호를 쓰시오.

┌─ 보기 ●
ⓐ 산지에는 항구 도시나 공업 도시가 발달한다.
ⓑ 서해안의 갯벌에서 해산물이나 소금을 채취한다.
ⓒ 여가 생활을 즐길 수 있도록 높은 산지에 스키장 이나 휴양 시설을 만든다.

(   )

8 ➕ 11종 공통

다음 빈칸에 들어갈 알맞은 말에 ○표 하시오.

┌─
하천 주변의 (산지 , 평야 , 해안)에는 농사지을 땅이 넓게 나타나며, 사람들이 모여 사는 도시가 발달합니다.

9 ➕ 11종 공통

다음은 우리나라 해안선을 나타낸 것입니다. 동해안, 서해안, 남해안 중 이와 같은 해안선이 주로 나타나는 곳이 어디인지 쓰시오.

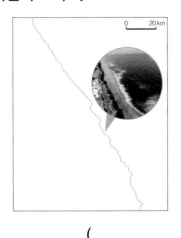

(   )

10 ➕ 11종 공통

다음 보기 에서 우리나라의 서해안에 대한 설명으로 알맞은 것을 골라 기호를 쓰시오.

┌─ 보기 ●
ⓐ 해안선이 복잡하다.
ⓑ 동해안에 비해 섬이 많지 않다.
ⓒ 갯벌보다 모래사장을 볼 수 있다.

(   )

11 ➕ 11종 공통

사람들이 해안 지역을 이용하는 모습으로 알맞은 것을 모두 골라 ○표 하시오.

(1) ▲ 스키장 (   )

(2) ▲ 양식장 (   )

(3) ▲ 갯벌 (   )

(4) ▲ 논농사 (   )

12 서술형 지학사, 천재교육 외

우리나라의 해안 지역에 다음과 같은 도시가 발달한 까닭을 쓰시오.

▲ 항구 도시(인천광역시)

_____

_____

2 우리 국토의 자연환경 (2)

1 우리나라의 기후

① 기후의 의미: 오랜 기간 한 지역에서 나타나는 평균적인 대기 상태를 뜻합니다.
  └ 짧은 시간에 변하는 대기의 상태는 날씨라고 해요.

② 우리나라 기후의 특징
- 중위도에 위치해 사계절이 나타나며 계절별로 기온의 차이가 큽니다.
- 계절에 따라 불어오는 바람의 방향이 다릅니다.

2 우리나라의 기온

① 우리나라 기온의 특징 [자료1]

남쪽과 북쪽 지방의 기온 차이	• 우리나라는 남북으로 길게 뻗어 있기 때문에 남쪽 지방과 북쪽 지방의 기온 차이가 큼. • 대체로 남쪽으로 갈수록 기온이 높아져 더 따뜻하고, 북쪽으로 갈수록 기온이 낮아져 더 추움.
동쪽과 서쪽 지역의 기온 차이	동해안은 태백산맥이 차가운 북서풍을 막아 주고, 수심이 깊기 때문에 동해안이 서해안보다 겨울에 따뜻함.
해안과 내륙 지역의 기온 차이	대체로 비슷한 위도의 해안 지역이 내륙 지역보다 여름에 시원하고 겨울에 따뜻함.

② 기온에 따른 사람들의 생활 모습

의생활	• 여름: 바람이 잘 통하는 모시옷을 만들어 입음. • 겨울: 솜옷을 입어 몸을 따뜻하게 했음.
식생활	• 남쪽 지방: 기온이 높아 음식이 쉽게 상하기 때문에 소금과 젓갈이 많이 들어간 음식이 발달함. • 북쪽 지방: 싱거운 음식이 발달함.
주생활	• 여름: 시원하게 보내려고 대청을 만듦. • 겨울: 따뜻하게 보내려고 난방 시설인 온돌을 설치함.

3 우리나라의 강수량 → 우리나라의 연평균 강수량은 1,300mm 정도로 세계 평균인 880mm보다 많은 편이에요.

① 우리나라 강수량의 특징 [자료2]
- 대체로 남부 지방은 강수량이 많고, 북부 지방은 강수량이 적습니다.
- 여름에 연평균 강수량의 절반 이상이 내릴 만큼 강수량이 많고, 계절에 따른 강수량의 차이가 큽니다.

② 강수량에 따른 사람들의 생활 모습

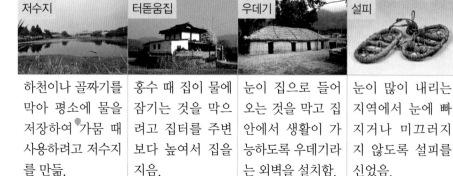

저수지	터돋움집	우데기	설피
하천이나 골짜기를 막아 평소에 물을 저장하여 가뭄 때 사용하려고 저수지를 만듦.	홍수 때 집이 물에 잠기는 것을 막으려고 집터를 주변보다 높여서 집을 지음.	눈이 집으로 들어오는 것을 막고 집 안에서 생활이 가능하도록 우데기라는 외벽을 설치함.	눈이 많이 내리는 지역에서 눈에 빠지거나 미끄러지지 않도록 설피를 신었음.

➕ 우리나라의 계절에 따라 불어오는 바람의 특징

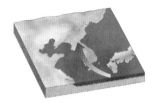

▲ 여름에 불어오는 바람

▲ 겨울에 불어오는 바람

- 여름에는 남쪽 바다에서 덥고 습한 바람이 불어와 기온이 높고 비가 많이 내립니다.
- 겨울에는 북서쪽 대륙에서 차갑고 건조한 바람이 불어와 춥고 눈이 내립니다.

➕ 대청과 온돌

▲ 대청   ▲ 온돌

- 대청은 바람이 잘 통하도록 바닥과 사이를 띄우고 나무판지를 깔아 만든 공간입니다.
- 온돌은 아궁이에 불을 피워 방바닥을 데우는 난방 장치입니다.

용어 사전

- **중위도** 저위도와 고위도의 중간으로, 대략 위도 30°~60°를 말함.
- **난방** 집 안이나 건물 안의 온도를 높여 따뜻하게 하는 일.
- **가뭄** 비가 평소보다 적게 오거나 오랫동안 오지 않는 기간이 긴 날씨 상태를 말함.

자료 1 우리나라의 1월과 8월 평균 기온

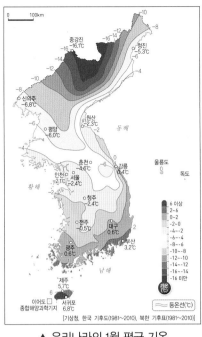

▲ 우리나라의 1월 평균 기온

▲ 우리나라의 8월 평균 기온

▶ 우리나라는 대체로 남쪽으로 갈수록 기온이 높아지고 북쪽으로 갈수록 기온이 낮아집니다. 또한 겨울에는 동쪽 지역이 서쪽 지역보다 더 따뜻한 경우가 많습니다. 대체로 해안 지역이 내륙 지역보다 겨울에 더 따뜻합니다.

▶ 서울보다 강릉의 1월 평균 기온이 더 높은 까닭은 태백산맥이 차가운 북서풍을 막아 주고, 수심이 깊은 동해의 영향 때문입니다.

자료 2 우리나라의 연평균 강수량

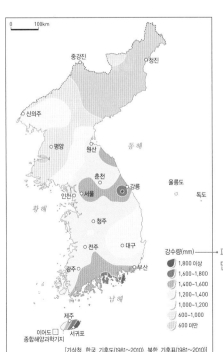

▶ 우리나라는 지역에 따라 강수량의 차이가 크며 대체로 북쪽에서 남쪽으로 갈수록 강수량이 많아집니다.

▶ 연평균 강수량이 1,400mm 이상인 지역은 서울, 강릉, 부산, 제주, 서귀포 등이며, 낙동강 중상류 지역은 상대적으로 비가 적게 옵니다.

파란색이 진할수록 비가 많이 오는 지역이에요.

● 정답과 풀이 5쪽

1

(기후 , 날씨)는 오랜 기간 한 지역에서 나타나는 평균적인 대기 상태를 뜻합니다.

2

우리나라는 (여름 , 겨울)에 남쪽 바다에서 덥고 습한 바람이 불어옵니다.

3

우리나라는 (   )(으)로 길게 뻗어 있기 때문에 남쪽 지방과 북쪽 지방의 기온 차이가 큽니다.

4

계절에 따라 옷차림, 먹는 음식, 집의 형태, 사용하는 물건 등 사람들의 생활 모습이 다릅니다.

(○ , ×)

5

우리나라는 연평균 강수량의 절반 이상이 겨울에 집중될 만큼 계절에 따른 강수량의 차이가 큽니다.

(○ , ×)

2 우리 국토의 자연환경 (2)

1 ⊕ 11종 공통

우리 지역의 기후에 대한 설명이 <u>아닌</u> 것은 무엇입니까? (   )

① 우리 지역은 여름에 비가 많이 온다.
② 우리 지역은 계절별로 기온차가 크다.
③ 우리 지역은 오늘 아침부터 비가 내린다.
④ 우리 지역은 사계절이 뚜렷하게 나타난다.
⑤ 우리 지역은 겨울에 춥고 눈이 많이 내린다.

2 ⊕ 11종 공통

우리나라의 기후 특징을 알맞게 말한 친구를 골라 ○표 하시오.

(1) 중위도에 위치해 계절별로 기온 차이가 작습니다.

(   )

(2) 여름에는 덥고 비가 많이 오며, 겨울에는 춥고 눈이 내립니다.

(   )

3 ⊕ 11종 공통

다음 ㉠, ㉡에 들어갈 알맞은 방위를 쓰시오.

> • 여름에는 (㉠   )쪽 바다에서 덥고 습한 바람이 불어와 기온이 높고 비가 많이 내립니다.
> • 겨울에는 (㉡   )쪽 대륙에서 차갑고 건조한 바람이 불어와 춥고 눈이 내립니다.

㉠ (   ), ㉡ (   )

[4-5] 다음은 우리나라의 1월과 8월 평균 기온을 나타낸 기후도입니다. 물음에 답하시오.

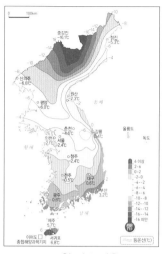

▲ 1월 평균 기온   ▲ 8월 평균 기온

4 ⊕ 11종 공통

위 기후도를 보고 알 수 있는 우리나라 기온의 특징에 대한 설명으로 알맞은 것에 ○표, 알맞지 <u>않은</u> 것에 ×표 하시오.

(1) 대체로 내륙 지역이 해안 지역보다 겨울에 더 따뜻합니다. (   )
(2) 대체로 남쪽으로 갈수록 기온이 높아져 더 따뜻하고, 북쪽으로 갈수록 기온이 낮아져 더 춥습니다. (   )

5 ⊕ 11종 공통

다음 (   ) 안에 들어갈 알맞은 말을 쓰시오.

> 우리나라는 (   )(으)로 길게 뻗어 있어 남쪽 지방과 북쪽 지방의 기온 차이가 큽니다.

(   )

6 서술형 ⊕ 11종 공통

동해안과 서해안 겨울 기온의 특징을 비교하여 쓰시오.

_____

_____

7 김영사, 미래엔 외

다음 빈칸에 들어갈 알맞은 말에 ◯표 하시오.

> 지역의 기온에 따라 옛날 사람들은 여름에는 바람이 잘 통하는 (솜옷 , 모시옷)을 만들어 입었습니다.

8 미래엔, 비상교과서 외

다음은 기온에 따른 옛날 사람들의 주생활 모습입니다. 여름과 겨울 중 관련있는 계절을 빈칸에 쓰시오.

(1)   (2)

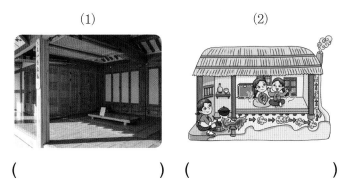

(   )   (   )

9 ➕ 11종 공통

다음 보기 에서 우리나라 강수량의 특징에 대한 설명으로 알맞은 것을 골라 기호를 쓰시오.

> 보기 ●
> ㉠ 지역에 따른 강수량 차이가 거의 없다.
> ㉡ 우리나라의 연평균 강수량은 세계 평균 강수량보다 많다.
> ㉢ 제주도, 울릉도와 남해안 지역은 겨울에도 강수량이 적은 편이다.

(   )

10 ➕ 11종 공통

다음 ( ) 안에 들어갈 알맞은 계절을 쓰시오.

> 우리나라는 계절에 따른 강수량의 차이가 커서 연평균 강수량의 절반 이상이 ( )에 집중됩니다.

(   )

11 서술형 ➕ 11종 공통

다음은 우리나라의 연평균 강수량 그래프입니다. 이를 보고 알 수 있는 남부 지방과 북부 지방 강수량의 특징을 비교하여 쓰시오.

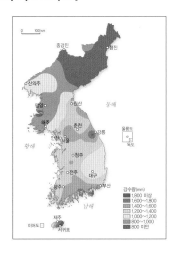

_____

_____

12 비상교육, 천재교과서 외

다음과 같은 생활 모습을 볼 수 있는 지역의 강수량 특징을 선으로 알맞게 연결하시오.

(1)   •
▲ 우데기

(2)   •

▲ 터돋움집

• ㉠   여름철에 비가 많이 옴.

• ㉡   겨울에 눈이 많이 내림.

2 우리 국토의 자연환경 (3)

개념 강의

1 우리나라의 자연재해

① **자연재해의 의미**: 황사, 가뭄, 홍수, 태풍, 지진 등 피할 수 없는 자연 현상으로 인해 일어나는 피해를 말합니다.

② **계절에 따라 발생하는 다양한 자연재해** ┌ 자연재해는 자연환경의 영향을 많이 받기 때문에 매년 비슷한 시기에 반복되는 경우가 많아요.

황사(봄) ➕	가뭄(봄)	폭염(여름)	홍수(여름)
중국이나 몽골의 사막에서 발생한 모래 먼지가 날아와 가라앉는 현상	오랫동안 비가 오지 않거나 적게 오는 기간이 지속되는 현상	하루 최고 기온이 33℃ 이상으로 올라가는 매우 심한 더위	비가 많이 내려 물이 흘러넘치고 도로나 건물 등이 물에 잠기는 현상

태풍(여름~초가을)	한파(겨울)	폭설(겨울)
많은 비와 강한 바람을 몰고 오는 자연 현상 자료 1	겨울철 기온이 갑자기 내려가면서 발생하는 추위	짧은 시간 동안 많은 양의 눈이 내리는 현상

③ **지진** 자료 2

의미	땅이 지구 내부의 힘을 받아 흔들리고 갈라지는 현상
피해	• 짧은 시간 동안 넓은 지역에 걸쳐 발생함. • 각종 시설이 파손되거나 붕괴되고 화재, 지진 해일, 산사태 등이 함께 발생해 인명과 재산에 막대한 피해를 입기도 함.

2 자연재해 피해를 줄이기 위한 노력 자료 3

① **정부와 지자체의 노력**
- 긴급 재난 문자, 기상청 누리집, 방송 매체 등을 통해 자연재해 정보를 안내합니다. ➕
- 호우 피해를 막기 위해 배수로를 정비하고, 폭염을 피할 수 있는 그늘막을 설치합니다. 폭설 시에는 제설 작업을 하고, 지진 발생 시 안전하게 대피할 수 있는 장소를 지정합니다.

② **개인의 노력**
- 평소에 행동 요령과 안전 수칙을 알고 실천하는 태도가 필요합니다.
- 재난 발생 시 방송 매체, 인터넷 등을 통해 실시간 기상 특보를 주의 깊게 살핍니다.

➕ **미세 먼지**

미세 먼지는 사람의 눈에 보이지 않는 작은 크기의 먼지로, 건강에 좋지 않은 영향을 끼칩니다. 미세 먼지는 자동차 배기가스, 공장 등에서 배출되는 매연 때문에 발생하므로 황사처럼 자연재해로 분류하지는 않습니다.

➕ **기상 특보**

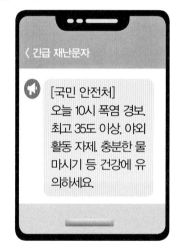

< 긴급 재난문자

[국민 안전처]
오늘 10시 폭염 경보.
최고 35도 이상. 야외
활동 자제. 충분한 물
마시기 등 건강에 유
의하세요.

기상 특보는 자연재해가 예상될 때 미리 대처할 수 있도록 널리 알리는 것입니다. 행정안전부나 기상청 누리집, 휴대 전화의 긴급 재난 문자 등을 통해 확인할 수 있습니다.

용어 사전

- **지진 해일** 바닷속에서 지진으로 인해 갑자기 바닷물이 크게 일어나 육지로 넘쳐나는 현상.
- **산사태** 폭우나 지신, 화산 폭발 등으로 인해 산 중턱의 바윗돌이나 흙이 갑자기 무너져 내리는 현상.
- **긴급 재난 문자** 재난 발생 시 국민이 대피·대응할 수 있도록 긴급하게 보내는 문자 메시지.
- **호우** 줄기차게 내리는 크고 많은 비.
- **제설** 쌓인 눈을 치움.

● 정답과 풀이 6쪽

자료 1 태풍이 가져오는 좋은 점

▶ 태풍은 피해를 주기도 하지만 사람들에게 도움을 주기도 합니다. 가뭄으로 생긴 물 부족 문제를 해결하기도 하고, 대기 중 미세 먼지나 오염 물질을 씻어 내기도 합니다. 또한 저위도 지역의 열을 고위도 지역으로 분산하여 지구 온도의 균형을 맞추고, 거센 바람으로 바닷물이 위아래로 잘 섞이도록 합니다.

1

홍수, 가뭄, 태풍, 지진, 황사 등 피할 수 없는 자연 현상으로 인해 일어나는 피해를 (   )(이)라고 합니다.

자료 2 지진의 발생 원인과 피해

▲ 지진으로 무너진 건물 기둥

▲ 지진으로 기울어진 첨성대

▶ 우리나라는 기후와 관련된 자연재해뿐만 아니라 지형과 관련된 자연재해가 발생하기도 합니다. 지진은 땅속의 갑작스러운 변화로 땅이 흔들리고 갈라지는 현상입니다. 지진이 일어나면 건물이나 다리 등 각종 시설물이 무너지고 화재가 발생하기도 합니다.

2

(폭설 , 폭염)은 하루 최고 기온이 33℃ 이상으로 올라가는 매우 심한 더위입니다.

3

(   )은/는 오랫동안 비가 오지 않거나 적게 오는 기간이 지속되는 현상입니다.

4

(   )은/는 땅이 지구 내부의 힘을 받아 흔들리고 갈라지는 현상입니다.

자료 3 자연재해의 피해를 줄이기 위한 노력

황사	• 황사가 실내로 들어오지 않도록 창문을 닫고, 가능한 한 외출을 줄이며 외출할 때는 마스크를 꼭 씁니다. • 외출 후에는 손과 얼굴을 깨끗이 씻습니다.
가뭄	필요한 물만 아껴 사용하고, 저수지와 다목적 댐을 건설합니다.
폭염	일기 예보를 수시로 확인하고 물을 자주 마십니다.
홍수	높은 곳으로 빨리 대피해 구조를 기다립니다.
태풍	문과 창문을 닫고, 외출하지 않습니다.
한파	체온 유지를 위해 외출할 때는 장갑, 모자, 목도리 등을 착용합니다.
폭설	• 눈이 쌓이지 않도록 수시로 치웁니다. • 눈이 쌓인 지붕이나 고드름이 있는 곳에 접근하지 않습니다.
지진	책상 아래로 들어가 몸을 보호하며, 진동이 멈추면 계단을 이용해 건물 밖으로 나가서 넓은 곳으로 대피합니다.

5

기상 특보를 주의 깊게 살피면서 재해 상황에 어떻게 대처하는지를 잘 알아 두어야 피해를 예방할 수 있습니다.

(○ , ×)

1 ✚ 11종 공통

우리나라에서 일어나는 자연재해의 모습을 선으로 알맞게 연결하시오.

(1) 홍수 •

• ㉠

(2) 황사 •

• ㉡

2 ✚ 11종 공통

다음 보기 에서 자연재해에 대한 설명으로 알맞은 것을 모두 골라 기호를 쓰시오.

보기
㉠ 봄에는 홍수, 태풍 등이 주로 발생한다.
㉡ 자연 현상으로 인해 일어나는 피해를 말한다.
㉢ 자연환경의 영향을 많이 받기 때문에 매년 비슷한 시기에 반복되는 경우가 많다.

( )

3 ✚ 11종 공통

다음에서 설명하는 자연재해가 무엇인지 쓰시오.

• 여름부터 초가을 사이에 발생하여 우리나라에 영향을 주는 자연재해입니다.
• 많은 비가 내리고 강한 바람이 불기 때문에 큰 피해를 줍니다.

( )

4 ✚ 11종 공통

우리나라의 겨울에 주로 발생하는 자연재해를 두 가지 고르시오. (,)

① 폭염
② 태풍
③ 홍수
④ 폭설
⑤ 한파

5 ✚ 11종 공통

자연재해에 대해 알맞게 설명한 친구를 골라 ○표 하시오.

(1)
여름철에 발생하는 자연재해에는 홍수와 폭염이 있어.

( )

(2) 가뭄은 겨울철에 기온이 갑자기 내려가면서 발생하는 추위를 말해.

( )

6 서술형 ✚ 11종 공통

다음에서 설명하는 자연재해의 발생 특징을 쓰시오.

땅이 지구 내부의 힘을 받아 흔들리고 갈라지는 현상입니다. 각종 시설이 파손되거나 붕괴되고 화재 등이 함께 발생합니다.

_____

_____

7 김영사, 비상교육 외

미세 먼지에 대한 설명으로 알맞은 것에 ○표, 알맞지 않은 것에 ×표 하시오.

(1) 미세 먼지는 주로 봄에 발생하는 자연재해입니다.

( )

(2) 미세 먼지는 사람의 눈에 보이지 않는 작은 크기의 먼지입니다. ( )

8 서술형 ✚ 11종 공통

다음 친구들의 대화를 보고 빈칸에 알맞은 답변을 쓰시오.

- 동훈: 어제 저녁에 황사와 관련한 뉴스를 봤어.
- 보나: 정말 조심해야겠어. 황사로 인한 피해를 줄이기 위해서는 어떤 노력을 하면 좋을까?
- 동훈: _____

_____

9 ✚ 11종 공통

지진 발생 시 행동 요령과 관련해 빈칸에 들어갈 알맞은 말에 ○표 하시오.

집 안에서는 책상 (위로 올라가, 아래로 들어가) 몸을 보호하며, 진동이 멈추면 계단을 이용해 건물 밖으로 나가서 넓은 곳으로 대피합니다.

10 ✚ 11종 공통

자연재해와 자연재해 발생 시 행동 요령이 잘못 연결된 것은 어느 것입니까? ( )

① 홍수 – 낮은 곳으로 빨리 대피한다.
② 태풍 – 문과 창문을 닫고 외출하지 않는다.
③ 폭설 – 눈이 쌓이지 않도록 수시로 치운다.
④ 폭염 – 야외 활동을 자제하고 물을 충분히 마신다.
⑤ 한파 – 외출할 때 장갑이나 목도리 등을 착용한다.

11 ✚ 11종 공통

다음 보기 에서 가뭄의 피해를 줄이기 위한 노력으로 알맞은 것을 골라 기호를 쓰시오.

보기 ●
㉠ 물 자주 마시기
㉡ 외출할 때 마스크 쓰기
㉢ 저수지와 다목적 댐 만들기
㉣ 외출 시 장갑, 모자 등 착용하기

( )

12 ✚ 11종 공통

자연재해의 피해를 줄이기 위한 노력을 알맞게 말한 친구를 모두 골라 이름을 쓰시오.

- 용성: 호우 피해를 막기 위해 배수로를 정비합니다.
- 민지: 평소에는 행동 요령과 안전 수칙에 관심을 가질 필요가 없습니다.
- 해린: 휴대 전화의 긴급 재난 문자, 방송 매체, 행정안전부나 기상청 누리집 등에서 기상 특보를 확인합니다.

( )

3 우리 국토의 인문환경 (1)

개념 강의

1 우리나라의 인구 분포

① 우리나라의 인구 분포 변화 [자료 1]

1960년대 이전	• 우리나라는 벼농사 중심의 농업 사회로, 인구 분포는 자연환경의 영향을 많이 받았음. • 기후가 온화하고 평야가 발달하여 벼농사에 유리한 남서쪽 지역에 인구가 많았음. • 춥고 산지가 많은 북동쪽 지역에는 인구가 적었음.
1960년대 이후	• 인구 분포는 일자리, 교통 등 인문환경의 영향을 많이 받음. • 도시가 발달하면서 촌락에 사는 사람들이 일자리를 찾아 도시로 이동함. → 서울을 중심으로 한 수도권이나 공업이 발달한 부산 등의 도시에 인구가 늘어남. • 촌락 지역의 인구는 점점 줄어듦.

② 오늘날 우리나라의 인구 분포 특징

• 수도권에는 우리나라 인구의 절반 정도가 살고 있습니다. 그 밖에 부산, 대구, 광주, 대전, 울산 등의 대도시에 인구가 집중되어 있습니다. ➕

• 농어촌 지역과 산지 지역은 인구 밀도가 낮습니다.

2 우리나라의 인구 구성

① 우리나라의 연령별 인구 구성 변화 [자료 2]

→ 연령별 인구 구성은 크게 14세 이하의 유소년층, 15~64세의 청장년층, 65세 이상의 노년층으로 나눌 수 있어요.

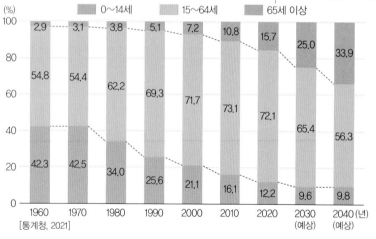

[통계청, 2021]

1960년대	14세 이하의 유소년층 인구 비율은 높은 반면 65세 이상의 노년층 인구 비율은 낮았음.
1990년대 이후	노년층의 인구 비율이 꾸준히 높아지는 저출산·고령화 현상이 빠르게 진행되고 있음.

② 오늘날 우리나라의 연령별 인구 구성 특징

• 유소년층 인구 비율이 낮아지고, 노년층 인구 비율이 높아지는 저출산·고령 사회의 모습이 나타납니다. ➕

• 저출산으로 새로 태어나는 아기의 수는 점점 줄어들고, 의료 기술의 발달로 평균 수명이 길어지면서 전체 인구에서 노인이 차지하는 비율이 증가하고 있습니다.

➕ **인구 분포로 인해 발생하는 지역별 문제**

많은 인구가 모여 사는 도시	주택 부족, 교통 혼잡, 환경 오염 등의 문제
인구가 줄어드는 촌락	일손 부족, 교육 시설 부족, 의료 시설 부족 등의 문제

➕ **65세 이상 인구의 비율 변화**

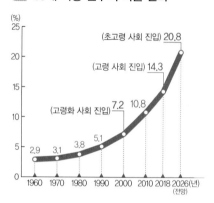

평균 수명이 길어지고 노인 인구가 늘어나면서 우리나라는 지난 2000년에 고령화 사회로 진입했으며, 2018년에는 노인 인구 비율이 14%를 넘어 고령 사회에 도달했습니다.

용어 사전

• **인구** 한 나라 또는 일정한 지역에 사는 사람의 수.

• **인구 밀도** 일정한 넓이(1㎢) 안의 인구 수로 인구가 모여 있는 정도를 나타냄.

• **인구 구성** 일정한 지역 안의 인구를 성, 연령 등의 기준으로 나누어 본 짜임새.

• **고령 사회** 65세 이상 인구가 전체 인구의 7%를 넘으면 고령화 사회, 14%를 넘으면 고령 사회, 20%를 넘으면 초고령 사회로 구분함.

자료 1 우리나라의 인구 분포 변화

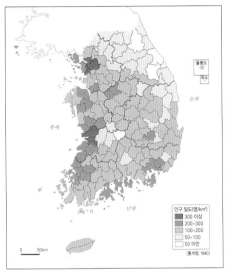

▲ 1940년의 인구 분포

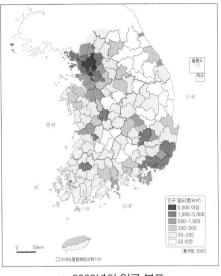

▲ 2020년의 인구 분포

▶ 우리나라에서 평야가 발달한 곳은 남서쪽 지역이며, 산지가 많은 곳은 북동쪽 지역입니다. 1940년에 우리나라에서 인구 밀도가 높은 곳은 기후가 온화하고 벼농사에 유리한 남서쪽 지역입니다.

▶ 오늘날에 우리나라에서 인구 밀도가 높은 곳은 서울, 부산과 같은 대도시입니다.

자료 2 우리나라의 인구 피라미드 변화

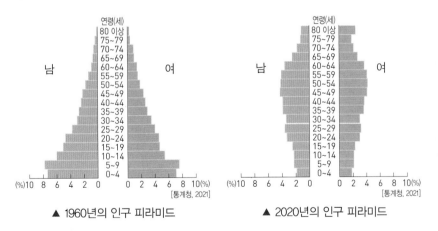

▲ 1960년의 인구 피라미드　　　▲ 2020년의 인구 피라미드

인구 피라미드의 의미	한 나라 또는 일정한 지역의 인구를 성별, 연령별로 나누어 피라미드 모양으로 나타낸 그래프
인구 피라미드 읽는 방법	• 가로축과 세로축이 나타내는 것을 확인함. • 막대의 길이로 비율을 확인함. • 성별, 연령별 인구 구조를 분석함.

▶ 1960년에 비해 2020년에는 14세 이하의 유소년층 인구 비율이 줄어들었고, 65세 이상의 노년층 인구 비율은 늘어났습니다.

1

한 나라 또는 일정한 지역에 사는 사람의 수를 (　　　　)(이)라고 합니다.

2

1960년대 이후에는 도시가 발달하면서 촌락에 사는 사람들이 (　　　　)을/를 찾아 도시로 이동했습니다.

3

오늘날 우리나라에서 인구가 가장 밀집한 지역은 서울을 중심으로 한 (　　　　)입니다.

4

아이를 적게 낳는 가정이 늘면서 새로 태어나는 아기의 수가 점점 줄어드는 (고령화 , 저출산)이/가 나타나고 있습니다.

5

오늘날 우리나라는 노년층 인구 비율이 낮아지고 있습니다.

(○ , ×)

3 우리 국토의 인문환경 (1)

1 ⊕ 11종 공통

1960년대 이전 우리나라의 인구 분포에 대한 설명으로 알맞은 것에 ○표, 알맞지 <u>않은</u> 것에 ×표 하시오.

(1) 평야가 발달한 지역의 인구 밀도가 높았습니다.
( )

(2) 춥고 산지가 많은 북동쪽 지역에 인구가 많았습니다.
( )

2 ⊕ 11종 공통

1960년대 이전에 남서쪽 지역에 사람들이 많이 모여 살았던 까닭은 무엇입니까? ( )

① 벼농사 중심의 농업 사회였기 때문에
② 농사짓는 사람들이 줄어들었기 때문에
③ 사람들의 이동이 편리한 곳이기 때문에
④ 공장에서 일할 사람들이 필요했기 때문에
⑤ 사람들이 살기 힘든 기후가 나타났기 때문에

3 ⊕ 11종 공통

다음은 2020년의 인구 분포를 나타낸 지도입니다. ㉠, ㉡ 중 인구 밀도가 높은 지역을 골라 기호를 쓰시오.

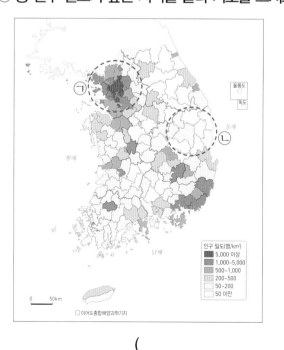

( )

4 ⊕ 11종 공통

다음 보기 에서 오늘날 우리나라의 인구 분포에 대한 설명으로 알맞은 것을 골라 기호를 쓰시오.

보기
㉠ 전체 인구의 약 30%가 수도권에 살고 있다.
㉡ 산지 지역과 농어촌 지역의 인구 밀도가 높다.
㉢ 부산, 대구, 광주 등의 대도시에 인구가 집중되어 있다.

( )

5 서술형 ⊕ 11종 공통

다음 빈칸에 들어갈 알맞은 말을 쓰시오.

1960년대 이후 우리나라의 인구 분포는 인문환경의 영향을 많이 받았습니다. 그 결과 오늘날 우리나라 인구의 절반 정도는 _____

_____

_____

6 동아출판, 지학사 외

인구 분포로 인해 각 지역에서 발생하는 문제점을 선으로 알맞게 연결하시오.

· ㉠ 교통 혼잡

(1) 촌락 ·
· ㉡ 일손 부족

(2) 도시 ·
· ㉢ 주택 부족

· ㉣ 의료 시설 부족

7 ✚ 11종 공통

다음 (　　) 안에 공통으로 들어갈 말을 쓰시오.

> (　　　　)은/는 한 나라 또는 일정한 지역에 사는 사람의 수를 말합니다. (　　　) 구성은 일정한 지역 안의 인구를 성, 연령 등을 기준으로 나누어 본 짜임새를 말합니다.

(　　　　　　　　　　　)

8 ✚ 11종 공통

다음은 우리나라의 1960년 인구 피라미드입니다. 이와 관련해 ㉠, ㉡에 들어갈 알맞은 말을 보기 에서 골라 쓰시오.

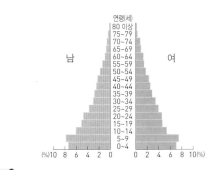

> **보기**
> • 유소년층　　• 청장년층　　• 노년층

> (　㉠　)의 인구 비율이 높은 반면 (　㉡　)의 인구 비율은 낮습니다.

㉠ (　　　　　　　), ㉡ (　　　　　　　)

9 ✚ 11종 공통

다음 (　　) 안에 들어갈 알맞은 말을 고르시오.
(　　　)

> 우리나라는 2018년에는 노인 인구 비율이 14%를 넘어 (　　　) 사회에 도달했습니다.

① 고령　　　　　　② 현대
③ 고령화　　　　　④ 저출산
⑤ 초고령

[10-11] 다음은 우리나라의 연령별 인구 구성의 변화 그래프입니다. 물음에 답하시오.

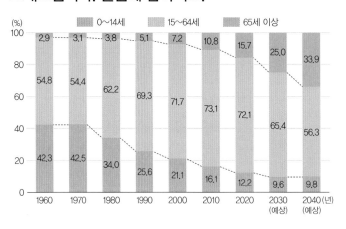

10 ✚ 11종 공통

위 그래프와 관련해 빈칸에 들어갈 알맞은 말에 ○표 하시오.

> 우리나라는 1960년에 비해 2020년에 (14세 이하 , 65세 이상)의 인구 비율이 늘어났습니다.

11 서술형 ✚ 11종 공통

위 **10**번과 같은 현상이 나타나는 까닭을 쓰시오.

_____

_____

12 ✚ 11종 공통

오늘날 우리나라의 인구 구성에 대한 설명으로 알맞은 것은 어느 것입니까? (　　　)

① 노년층 인구 비율이 낮아지고 있다.
② 유소년층 인구 비율이 높아지고 있다.
③ 저출산·고령 사회의 모습이 나타난다.
④ 새로 태어나는 아기의 수가 늘어나고 있다.
⑤ 우리나라로 들어오는 외국인이 줄어들고 있다.

3 우리 국토의 인문환경 (2)

1 우리나라의 도시 발달 모습

① 우리나라의 도시와 도시 인구 변화 자료 1
- 1960년에 비해 2020년에는 도시 수와 도시 인구가 크게 늘어났습니다. 특히 수도권과 남동쪽 해안 지역의 도시 수와 도시 인구가 크게 증가했습니다.
- 인구 100만 명 이상의 대도시가 크게 늘어났습니다.

② 우리나라의 도시 발달 과정

1960년대	사람들이 일자리를 찾아 도시로 이동하면서 서울, 인천, 부산, 대구 등의 인구가 급속히 증가함. ┐1960년대 이후 공업이 발달하면서 본격적으로 도시가 발달하기 시작했어요.
1970년대	대도시의 지속적인 성장과 더불어 포항, 울산, 마산, 창원 등이 새로운 공업 도시로 성장하면서 도시 인구가 크게 증가함.
1980년대 이후	• 대도시에 인구가 집중하면서 생긴 여러 가지 문제를 해결하려고 대도시 주변 지역에 신도시를 건설해 인구와 기능을 분산했음. 예 ▲ 아파트 주거 단지(고양시) ▲ 반월 공업 단지(안산시) • 국토를 균형적으로 발전시키려고 수도권에 있는 공공 기관, 연구소 등을 지방으로 옮겼음. 예 정부 세종 청사(세종특별자치시) ✚

2 우리나라의 산업 발달 모습

① 우리나라의 산업 발달 과정 자료 2

1960년대 이전	생산 활동에 적합한 자연환경을 갖춘 곳에서 농업, 어업, 임업이 주로 발달함.
1960년대	풍부한 노동력을 바탕으로 섬유, 신발, 의류 등과 같이 가벼운 물건을 만드는 산업이 대도시를 중심으로 발달함.
1970~1980년대	• 철강, 배, 자동차 등과 관련된 산업이 발달함. • 원료를 수입하고 완성된 제품을 수출하기 편리한 남동 해안 지역에 중화학 공업이 발달함.
1990년대	컴퓨터와 반도체 등 정보 통신 산업이 크게 성장함.
오늘날	로봇, 항공, 우주와 관련된 첨단 산업이 발달하고 있음.

② 다양한 산업의 발달 모습 ✚ 자연환경과 인문환경의 차이에 따라 지역별로 각기 다른 산업이 발달했어요.

수도권	편리한 교통, 넓은 소비 시장을 바탕으로 다양한 산업이 발달함.
대전	연구소와 대학교가 협력해 첨단 산업이 성장함.
광주	자동차 산업이 발달했으며 이와 관련된 여러 가지 시설을 볼 수 있음.
동해	시멘트의 주원료인 석회석이 풍부해 시멘트 산업이 발달함.
대구	풍부한 노동력을 바탕으로 섬유와 패션 산업이 성장함.
부산	원료 수입과 제품 수출을 하기 좋은 해안가에 물류 산업이 발달함.
제주	독특하고 아름다운 자연환경 덕분에 관광 산업이 발달함.

✚ **공공 기관이 이전하는 이유**

공공 기관을 지방으로 옮기는 까닭은 국토를 균형 있게 발전시키려고 하기 때문입니다. 정부 종합 청사에 있었던 정부의 여러 기관을 세종특별자치시로 이전하여 수도권에 집중된 인구와 기능을 분산합니다.

▲ 정부 세종 청사(세종특별자치시)

✚ **다양한 산업의 발달 모습**

▲ 첨단 산업(대전) ▲ 시멘트 산업(동해)

▲ 물류 산업(부산) ▲ 관광 산업(제주)

용어 사전
- **중화학 공업** 중공업과 화학 공업을 함께 이르는 말.
- **첨단 산업** 반도체, 생명 공학, 우주 항공, 컴퓨터, 신물질 등을 다루는 산업으로, 기술로 인한 영향력과 부가 가치가 큼.
- **물류** 생산자가 만든 상품을 소비자에게 수송, 운반, 보관하는 과정.

● 정답과 풀이 8쪽

자료1 우리나라의 도시 수와 도시 인구 변화

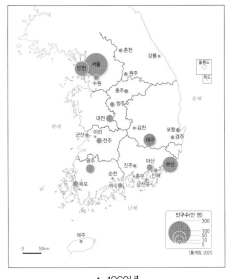

▲ 1960년

▲ 2020년

▶ 1960년에 인구가 100만 명 이상인 도시는 서울, 부산입니다. 2020년에 인구가 100만 명 이상인 도시는 서울, 부산, 인천, 대구, 대전, 광주, 울산, 수원, 용인, 고양, 창원입니다.

자료2 우리나라의 주요 공업 지역

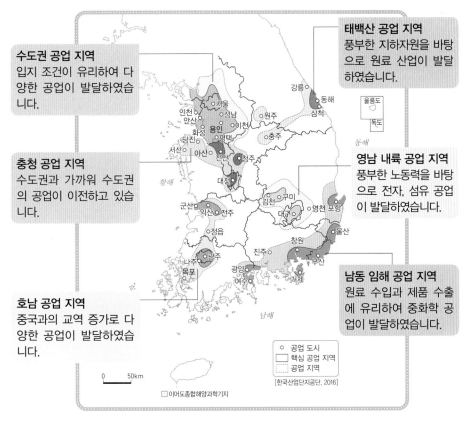

수도권 공업 지역
입지 조건이 유리하여 다양한 공업이 발달하였습니다.

충청 공업 지역
수도권과 가까워 수도권의 공업이 이전하고 있습니다.

호남 공업 지역
중국과의 교역 증가로 다양한 공업이 발달하였습니다.

태백산 공업 지역
풍부한 지하자원을 바탕으로 원료 산업이 발달하였습니다.

영남 내륙 공업 지역
풍부한 노동력을 바탕으로 전자, 섬유 공업이 발달하였습니다.

남동 임해 공업 지역
원료 수입과 제품 수출에 유리하여 중화학 공업이 발달하였습니다.

○ 공업 도시
□ 핵심 공업 지역
□ 공업 지역

[한국산업단지공단, 2016]

▶ 우리나라는 각 지역의 특성에 따라 다양한 공업이 발달했습니다. 오늘날에는 수도권과 남동 임해 지역에 공업이 많이 발달했습니다.

1

1960년대에는 사람들이 일자리를 찾아 촌락으로 이동하면서 서울, 인천의 인구가 감소했습니다.

(○ , ×)

2

1970년대에는 대도시의 지속적인 성장과 더불어 포항, 울산, 마산, 창원 등이 새로운 (공업 , 행정) 도시로 성장했습니다.

3

( )은/는 대도시에 인구가 집중하면서 생긴 여러 가지 문제를 해결하려고 1980년대부터 대도시 주변 지역에 건설한 도시입니다.

4

1960년대에는 풍부한 ( ) 을/를 바탕으로 섬유, 신발, 의류 등을 만드는 산업이 발달했습니다.

5

자연환경과 인문환경의 차이에 따라 지역별로 각기 다른 산업이 발달했습니다.

(○ , ×)

3 우리 국토의 인문환경 (2)

1 ➕ 11종 공통

다음 빈칸에 들어갈 알맞은 말에 ○표 하시오.

> 1960년대 이후 (공업 , 서비스업)의 발달로 사람들이 일자리를 찾아 도시로 이동하면서 서울, 인천, 부산, 대구 등의 인구가 급속히 증가했습니다.

[2-3] 다음은 우리나라의 도시 수와 도시별 인구를 나타낸 그래프입니다. 물음에 답하시오.

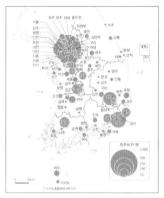

▲ 1960년   ▲ 2020년

2 ➕ 11종 공통

위 그래프에 나타난 원의 크기가 의미하는 것은 무엇입니까? (   )

① 도시의 넓이   ② 도시의 주택 수
③ 도시에 사는 인구   ④ 도시의 자동차 수
⑤ 도시의 일자리 수

3 ➕ 11종 공통

위 그래프에 대한 설명으로 알맞은 것에 ○표, 알맞지 않은 것에 ×표 하시오.

⑴ 1960년대에는 서울과 부산에 100만 명이 넘는 사람이 살았습니다. (   )
⑵ 2020년에는 수도권과 남동쪽 해안 지역에 도시 수와 도시 인구가 많습니다. (   )
⑶ 1960년과 비교해 2020년에 우리나라 도시 수는 늘어났지만 도시 인구는 줄었습니다. (   )

4 ➕ 11종 공통

다음 밑줄 친 '이곳'이 <u>아닌</u> 지역은 어디입니까?
(   )

> 이곳은 1970년대에 대도시의 지속적인 성장과 더불어 공업 도시로 성장하면서 도시 인구가 크게 증가한 지역입니다.

① 고양   ② 마산
③ 울산   ④ 창원
⑤ 포항

5 ➕ 11종 공통

다음 (   ) 안에 들어갈 알맞은 말을 쓰시오.

> 1980년대 이후 국토를 균형적으로 발전시키려고 (   )에 집중되어 있는 공공 기관, 연구소 등을 지방으로 옮겨 그 주변이 발전하도록 했습니다.

(   )

6 서술형 ➕ 11종 공통

1980년대부터 경기도에 다음과 같은 신도시를 건설한 까닭을 쓰시오.

_____

_____

● 정답과 풀이 8쪽

7 ✚ 11종 공통

우리나라의 산업 발달 모습에 대해 알맞게 말한 친구를 골라 ○표 하시오.

(1)

1960년대에는 풍부한 노동력을 바탕으로 가벼운 물건을 만드는 산업이 발달했습니다.

(2)

오늘날에는 생산 활동에 적합한 자연환경을 갖춘 곳에서 농업, 어업, 임업이 주로 발달했습니다.

(   )   (   )

8 ✚ 11종 공통

다음에서 설명하는 산업이 무엇인지 쓰시오.

- 철강, 배 등 비교적 무거운 물건을 만들거나 원유를 이용해 다양한 물건을 만드는 산업입니다.
- 원료를 수입하고 완성된 제품을 수출하기 편리한 남동 해안 지역에 발달했습니다.

(   )

9 ✚ 11종 공통

석회석이 풍부해 시멘트 산업이 발달한 지역은 어디입니까? (   )

① 대구   ② 대전
③ 동해   ④ 서울
⑤ 제주

10 아이스크림, 천재교육 외

자연환경과 인문환경의 차이에 따라 지역에 발달한 산업을 선으로 알맞게 연결하시오.

(1) 대구 •   • ㉠ 풍부한 노동력을 바탕으로 섬유와 패션 산업이 성장함.

(2) 수도권 •   • ㉡ 편리한 교통, 넓은 소비 시장을 바탕으로 다양한 산업이 발달함.

11 비상교과서, 천재교육 외

다음 사진과 같이 독특하고 아름다운 자연환경 덕분에 제주도에 발달한 산업은 무엇입니까? (   )

① 관광 산업   ② 물류 산업
③ 첨단 산업   ④ 자동차 산업
⑤ 항공기 산업

12 서술형 ✚ 11종 공통

다음 사진과 같이 부산에 물류 산업이 발달한 까닭을 한 가지만 쓰시오.

_____

_____

3 우리 국토의 인문환경 (3)

1 우리나라의 교통 발달 모습

① 우리나라의 교통도 변화 자료 1

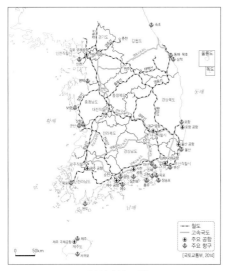

▲ 1980년의 교통도   ▲ 2020년의 교통도

- 산업과 도시의 발달에 따라 지역과 지역을 잇는 교통망은 더욱 세밀해졌습니다.
- 1980년보다 2020년에는 철도, 고속 국도가 복잡해졌습니다.
- 1980년에는 없고 2020년에는 있는 교통 시설은 고속 철도입니다.

② 우리나라의 교통 발달과 생활 모습의 변화 ➕

- 1960년대 말부터 여러 고속 국도가 건설되면서 사람들이 주요 도시를 빠르게 이동할 수 있게 되었습니다. ➕
- 2004년부터 고속 철도가 개통되면서 사람들의 생활권이 넓어졌습니다. ➕

2 인문환경의 변화에 따라 달라진 국토의 모습 자료 2

교통이 발달하면 이동 시간이 줄어들어 사람들의 이동이 더욱 활발해집니다.

한 지역에 인구가 많이 모여들면 도시가 성장합니다.

교통이 발달하면 지역 간 교류가 활발해져서 산업이 발달합니다.

산업이 발달하면 사람들이 일자리를 찾아 도시로 모여 들어 도시가 성장합니다.

➕ **교통의 발달로 달라진 사람들의 생활 모습**

- 비행기를 이용해 하루 안에 전국 어디나 왕복할 수 있습니다.
- 교통이 발달한 곳을 중심으로 일자리가 늘어나고 인구가 많아져 도시가 성장했습니다.
- 제품 생산에 필요한 원료를 쉽고 빠르게 운반할 수 있어서 산업 발달에 도움이 되었습니다.

➕ **경부 고속 국도**

1970년 서울과 부산을 잇는 경부 고속 국도가 완공되었습니다.

➕ **고속 철도(KTX)**

고속 철도는 시속 약 200km 이상으로 운행되는 철도로, 오늘날 우리 국토 곳곳을 연결하고 있습니다.

용어 사전

- **교통도** 도로, 철도, 항구, 공항 등을 나타낸 교통 지도.
- **개통** 길, 다리, 철도, 통신 등이 완성되어 연결됨.
- **생활권** 통학, 통근 등 사람이 일상생활을 할 때 활동하는 범위.

교과서 통합 대표 자료

● 정답과 풀이 9쪽

자료1 과거와 오늘날 교통의 발달 모습

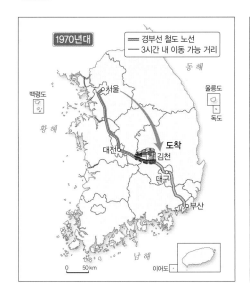

▶ 1970년대에는 새마을호를 타면 서울에서 부산까지 약 5시간이 걸렸습니다. 그러나 오늘날에는 고속 철도를 타면 약 2시간 40분 만에 서울에서 부산까지 갈 수 있습니다. 지역을 이동하는 시간이 줄어들면서 지역 간 거리가 더욱 가깝게 느껴지고 있습니다.

자료2 인구, 도시, 산업, 교통의 변화에 따라 달라진 국토의 모습

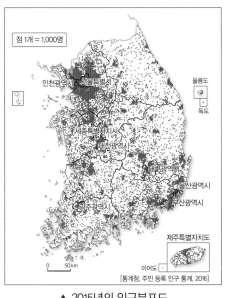
▲ 2015년의 인구분포도

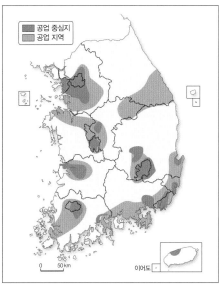
▲ 주요 공업 지역 분포도

▶ 인구가 많은 지역에 주요 도시가 분포하고 있습니다. 주요 공업 중심지와 공업 지역에 인구가 많습니다. 교통이 발달한 곳에 사람들이 많이 모여 살고 있습니다.

▶ 인구, 도시, 산업, 교통은 서로 영향을 주고받으며 변화합니다. 인문환경에 따라 우리 국토의 모습은 꾸준히 변하고 있습니다.

1

( )은/는 도로, 철도, 항구, 공항 등을 나타낸 지도입니다.

2

오늘날은 과거에 비해 철도, 고속국도가 (단순 , 복잡)해졌습니다.

3

( )은/는 통학, 통근 등 사람이 일상생활을 할 때 활동하는 범위입니다.

4

교통의 발달로 지역 간의 이동 시간이 짧아지면서 사람들의 이동이 더욱 줄어듭니다.

(○ , ×)

5

교통의 발달로 원료를 빠르게 운반할 수 있어서 ( )이/가 발달합니다.

3 우리 국토의 인문환경 (3)

[1-3] 다음 교통도를 보고, 물음에 답하시오.

 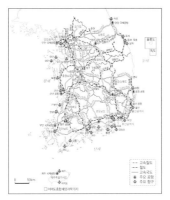

▲ 1980년의 교통도　　　▲ 2020년의 교통도

1 ⊕ 11종 공통

위 교통도에서 알 수 있는 정보가 <u>아닌</u> 것은 무엇입니까? (　　　)

① 철도　　　② 지하철　　　③ 고속 국도
④ 주요 항구　　⑤ 주요 공항

2 ⊕ 11종 공통

위 교통도의 범례를 비교하여 1980년에는 없지만 2020년에는 있는 교통 시설이 무엇인지 찾아 쓰시오.

(　　　　　　　　　)

3 ⊕ 11종 공통

위 교통도와 관련해 우리나라의 교통 발달 모습에 대해 알맞게 말한 친구를 골라 ○표 하시오.

(1) 주요 항구의 수가 줄어들었습니다.
(2) 철도와 고속 국도가 복잡해졌습니다.

(　　　)　　　　(　　　)

4 ⊕ 11종 공통

다음 (　　) 안에 공통으로 들어갈 말을 쓰시오.

> 1960년대 말부터 여러 고속 국도가 건설되면서 전 국토가 1일 (　　　)(으)로 연결되었고, 2004년에 고속 철도가 개통되면서 반나절 (　　　)이/가 가능해졌습니다.

(　　　　　　　　　)

5 ⊕ 11종 공통

오늘날의 교통 발달에 대한 설명으로 옳지 <u>않은</u> 것은 어느 것입니까? (　　　)

① 사람과 물자의 이동이 더욱 활발해졌다.
② 공항이 줄어들어 지역 간 교류가 감소했다.
③ 다양한 교통 시설이 그물망처럼 연결되어 있다.
④ 항구가 늘어나 산업에 필요한 원료 공급이 원활해졌다.
⑤ 산업과 도시의 발달에 따라 지역과 지역을 잇는 교통망이 세밀해졌다.

6 서술형 ⊕ 11종 공통

교통의 발달로 달라진 사람들의 생활 모습을 두 가지 쓰시오.

_____

_____

7 ➕ 11종 공통

다음 빈칸에 들어갈 알맞은 말에 ◯표 하시오.

> 교통의 발달로 사람과 물자의 이동이 더욱 활발해지고 지역을 이동하는 시간이 줄면서 지역 간 거리는 더욱 (멀게 , 가깝게) 느껴지고 있습니다.

8 ➕ 11종 공통

다음 (   ) 안에 들어갈 알맞은 말을 보기 에서 골라 쓰시오.

> 보기 ●
> • 도시   • 산업   • 인구   • 교통

(1) 교통이 발달하면 지역 간의 교류가 활발해져서 (   )이/가 발달합니다.

(2) 사람들이 일자리를 찾아 (   )(으)로 이동하면 도시의 교통과 산업은 더욱 발달합니다.

9 동아출판, 비상교과서 외

다음 두 지도를 보고, 빈칸에 들어갈 알맞은 말에 ◯표 하시오.

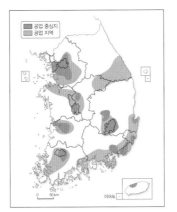

▲ 2015년의 인구분포도   ▲ 주요 공업 지역 분포도

> 두 지도를 보면 산업이 발달한 지역에 인구가 (적다는 , 많다는) 것을 알 수 있습니다.

[10-11] 다음 두 지도를 보고, 물음에 답하시오.

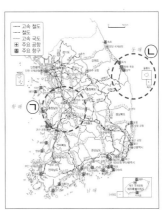

▲ 2015년의 인구분포도   ▲ 2020년의 교통도

10 ➕ 11종 공통

위 교통도에 표시한 ㉠, ㉡ 중 교통이 더 발달한 지역을 골라 기호를 쓰시오.

(   )

11 서술형 ➕ 11종 공통

위 지도를 통해 알 수 있는 인구와 교통의 관계를 쓰시오.

_____

_____

12 ➕ 11종 공통

인문환경의 변화에 따라 달라진 국토의 모습에 대해 알맞게 말한 친구를 골라 이름을 쓰시오.

> • 다인: 교통의 발달로 다양한 산업이 성장했어요.
> • 신애: 인구가 적은 지역을 중심으로 교통망이 발달했어요.
> • 원석: 도시의 성장은 교통과 산업이 발달하는 것을 방해해요.

(   )

1. 국토와 우리 생활

★ 우리 국토의 위치가 가지고 있는 특징

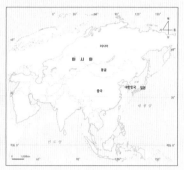

우리 국토는 삼면이 바다로 둘러싸이고 한 면은 육지와 연결된 반도로 대륙과 해양으로 나아가기에 유리한 특징을 가지고 있습니다.

★ 우리나라의 행정 구역

나라를 효율적으로 관리하기 위해 행정 구역으로 나눕니다.

★ 다양한 지형을 이용한 모습

▲ 스키장　　▲ 다목적 댐

▲ 논농사　　▲ 양식장

사람들은 지형을 이용해 살아가거나 더 나은 생활을 하려고 지형을 개발하기도 합니다.

❶ 우리 국토의 위치와 영역

1. 우리 국토의 위치와 특징

위치	• **❶**〔　　　　〕대륙의 동쪽에 위치한 반도임. • 북위 33°~43°, 동경 124°~132° 사이에 위치함. • 주변에 중국, 러시아, 몽골, 일본 등의 나라가 있음.
특징	• 도로나 철도를 이용해 대륙으로 나아가기 유리함. • 삼면이 바다와 맞닿아 있어 해양으로 나아가기에도 좋음.

2. 우리나라의 영역

① **영역**: 한 나라의 **❷**〔　　　　〕이 미치는 범위를 말합니다.

② **우리나라의 영역**

• 영토: 한반도와 한반도에 속한 여러 섬입니다.

• 영해: 우리나라 영토 주변의 바다입니다.

• 영공: 우리나라 영토와 영해 위에 있는 하늘의 범위입니다.

3. 우리 국토의 지역 구분

큰 산맥과 하천을 중심으로 한 지역 구분	남북으로 긴 우리나라는 큰 산맥과 하천을 중심으로 북부, 중부, 남부 지방으로 구분함.
자연환경에 따른 지역 구분	산이나 호수, 강, 바다, 제방 등의 **❸**〔　　　　〕을 기준으로 지역을 구분함. → 오늘날 행정 구역을 정하는 기초가 됨.
우리나라의 행정 구역	북한 지역을 제외하면 특별시 1곳, 특별자치시 1곳, 광역시 6곳, 도 8곳, 특별자치도 1곳으로 이루어져 있음.

❷ 우리 국토의 자연환경

1. 우리나라의 지형과 사람들의 생활 모습

산지	• 높고 험한 산지는 대부분 북동쪽에 많음. • 사람들이 여가 생활을 즐길 수 있도록 높은 산지에 스키장과 휴양 시설을 만듦.
하천과 평야	• 큰 하천은 대부분 동쪽에서 서쪽으로 흘러감. • 비교적 낮은 평야는 서쪽에 발달함. • 하천 중·상류에 다목적 댐을 건설함. 하천 중·하류 주변 평야에서는 **❹**〔　　　　〕를 지으며, 도시가 발달함.
해안	• 동해안은 해안선이 단조롭고, 길게 뻗은 모래사장이 펼쳐진 곳이 많아 해수욕장이 발달함. • 서해안은 해안선이 복잡하고, 갯벌에서 해산물이나 소금을 채취함. • 남해안은 해안선이 복잡하고 섬이 많으며, **❺**〔　　　　〕이 발달함.

2. 우리나라의 기후

기온	• 남쪽 지방과 북쪽 지방의 기온 차이가 큼.
	• 동해안이 서해안보다 겨울에 따뜻함.
	• 해안 지역이 내륙 지역보다 겨울에 따뜻함.
강수량	• 대체로 남부 지방은 강수량이 많고, 북부 지방은 강수량이 적음.
	• 연평균 강수량의 절반 이상이 ❻ [　　　] 에 집중됨.

3. 우리나라의 자연재해

① **자연재해**: 홍수, 가뭄, 태풍, 지진, 황사 등 피할 수 없는 자연 현상으로 일어나는 피해를 말합니다.

② 봄에는 주로 황사나 가뭄이, 여름에는 주로 폭염이나 홍수가 발생합니다. 여름에서 초가을 사이에는 태풍이, 겨울에는 한파나 폭설이 발생합니다.

③ **자연재해의 피해를 줄이기 위한 노력**: 행정안전부와 기상청은 자연재해가 예상될 때 ❼ [　　　] 를 통해 자연재해 정보를 안내합니다.

❸ 우리 국토의 인문환경

1. 우리나라의 인구 분포와 인구 구성

| 인구 분포 | 1960년대 이후 수도권과 부산, 대구 등 대도시의 인구 밀도는 높아졌지만 산지 지역과 농어촌 지역의 인구 밀도는 낮아졌음. |
| 인구 구성 | 아이를 적게 낳는 가정이 늘면서 새로 태어나는 아기의 수는 점점 줄고, 전체 인구에서 ❽ [　　　] 이 차지하는 비율은 늘고 있음. |

2. 우리나라의 도시 발달

1960년대	사람들이 일자리를 찾아 도시로 이동하면서 서울, 인천, 부산, 대구 등의 인구가 급속히 증가함.
1970년대	포항, 울산, 마산, 창원 등이 새로운 공업 도시로 성장하면서 도시 인구가 크게 증가함.
1980년대 이후	대도시 주변 지역에 신도시를 건설하고, 수도권에 있는 공공 기관, 연구소 등을 지방으로 옮김.

3. 우리나라의 산업 발달과 교통 발달

산업 발달	농업, 어업, 임업이 발달함. → 섬유, 신발 등을 만드는 산업 발달함. → 남동 해안 지역에 중화학 공업이 발달함. → 과학과 기술이 발달하면서 정보 통신 산업이 성장함. → 첨단 산업이 발달함.
교통 발달	• 지역과 지역을 잇는 교통망은 더욱 세밀해짐.
	• 교통수단과 교통 시설이 발달하면서 사람과 물건의 이동이 빨라짐.

★ 우리나라의 계절에 따라 불어오는 바람의 특징

▲ 여름　　　　▲ 겨울

• 여름에는 남쪽에서 덥고 습한 바람이 불어와 기온이 높고 비가 많이 내립니다.
• 겨울에는 북서쪽에서 차갑고 건조한 바람이 불어와 춥고 눈이 내립니다.

★ 우리나라의 연령별 인구 구성

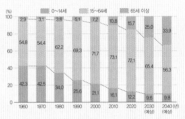

우리나라는 유소년층 인구 비율이 낮아지고, 노년층 인구 비율이 높아지는 저출산·고령 사회의 모습이 나타납니다.

★ 다양한 산업의 발달 모습

▲ 첨단 산업　　▲ 시멘트 산업
　　(대전)　　　　　(동해)

▲ 물류 산업　　▲ 관광 산업
　　(부산)　　　　　(제주)

1 ➕ 11종 공통

우리 국토에 대한 설명으로 알맞은 것을 두 가지 고르시오. (,   )

① 몽골과 러시아 사이에 있다.

② 아시아 대륙의 동쪽에 위치한다.

③ 주변에는 영국, 미국 등의 나라가 있다.

④ 남위 33°~43°, 서경 124°~132° 사이에 위치해 있다.

⑤ 땅의 모습이 대륙에서 바다 쪽으로 길게 내민 반도이다.

2 ➕ 11종 공통

다음 보기 에서 우리나라 위치의 특징으로 알맞은 것을 모두 골라 기호를 쓰시오.

> **보기**
> ㉠ 도로나 철도를 이용해 대륙으로 나아가기 불리하다.
> ㉡ 삼면이 바다와 맞닿아 있어 해양으로 나아가기 편리하다.
> ㉢ 위치가 갖는 장점을 이용해 세계 여러 나라와 교류하고 있다.

(   )

3 서술형 ➕ 11종 공통

우리나라의 주권이 미치는 영토의 범위는 어디까지인지 쓰시오.

_____

_____

4 ➕ 11종 공통

전통적인 지역 구분과 관련해 다음 사진에 나타난 고개의 남쪽에 있어서 붙여진 지역의 이름을 쓰시오.

▲ 조령(문경 새재)

(   )

5 ➕ 11종 공통

다음 지도를 보고, 행정 구역에 대한 설명으로 알맞은 것을 두 가지 고르시오. (,   )

① 광역시는 모두 5곳이 있다.

② 도와 특별자치도에는 시청이 있다.

③ 특별시 1곳과 특별자치시 1곳이 있다.

④ 세종특별자치시는 서울특별시의 북쪽에 있다.

⑤ 시청과 도청은 대부분 시·도의 중심에 위치하고 있다.

6 ✚ 11종 공통

다음에서 설명하는 지형의 모습으로 알맞은 것은 어느 것입니까? (   )

> 바다와 육지가 만나는 곳으로, 모래사장이나 갯벌이 있습니다.

① ▲ 섬
② ▲ 하천
③ ▲ 해안
④ ▲ 산지

7 ✚ 11종 공통

다음은 우리나라의 지형도와 지형 단면도입니다. 이를 보고 ㉠, ㉡에 들어갈 알맞은 방위를 쓰시오.

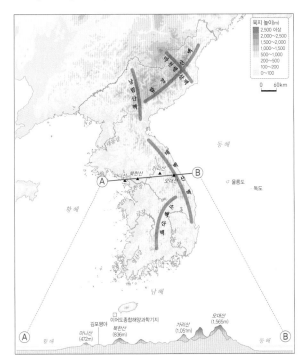

> 우리나라는 대체로 (㉠)쪽이 높고, (㉡)쪽이 낮은 지형이 나타납니다.

㉠ (   ), ㉡ (   )

8 서술형 ✚ 11종 공통

우리나라의 여름과 겨울에 불어오는 바람의 특징을 각각 쓰시오.

_____

_____

9 ✚ 11종 공통

기온에 따른 옛날 사람들의 생활 모습에 대한 설명으로 알맞은 것은 어느 것입니까? (   )

① 집의 구조는 지역별로 다르지 않았다.
② 남쪽 지방에서는 싱거운 음식이 발달했다.
③ 여름에는 솜옷을 입어 몸을 따뜻하게 했다.
④ 겨울을 따뜻하게 보내려고 난방 시설인 온돌을 설치했다.
⑤ 북쪽 지방에서는 소금과 젓갈이 많이 들어간 음식이 발달했다.

10 비상교육, 천재교과서 외

다음 (   ) 안에 들어갈 알맞은 말을 쓰시오.

> 겨울에 눈이 많이 내리는 울릉도에서는 눈이 집으로 들어오는 것을 막고 집 안에서 생활이 가능하도록 (   )(이)라는 외벽을 설치했습니다.

(   )

11 ➕ 11종 공통

우리나라의 인구 분포와 관련해 ㉠, ㉡에 들어갈 알맞은 말에 ○표 하시오.

> 1960년대 이전 우리나라는 벼농사 중심의 농업 사회로 농사지을 땅이 넓은 ㉠ (북동쪽 , 남서쪽)의 평야 지역에 많은 사람이 모여 살았습니다. 반면 ㉡ (북동쪽 , 남서쪽)의 산지 지역에는 지형의 영향으로 상대적으로 인구가 적었습니다.

12 ➕ 11종 공통

1960년대 이후 우리나라 인구 분포의 변화에 대한 설명으로 알맞은 것을 두 가지 고르시오. (,   )

① 지역마다 인구 밀도가 비슷해졌다.
② 수도권의 인구 밀도가 매우 높아졌다.
③ 농업이 발달한 곳의 인구 밀도가 높아졌다.
④ 산업이 발달한 대도시 지역의 인구 밀도가 높아졌다.
⑤ 산지 지역과 농어촌 지역의 인구 밀도가 함께 높아졌다.

13 ➕ 11종 공통

1970년대 공업 도시로 성장하면서 인구가 크게 증가한 도시가 아닌 곳은 어디입니까? (   )

① 강릉   ② 마산   ③ 울산
④ 창원   ⑤ 포항

14 서술형 ➕ 11종 공통

다음은 우리나라의 주요 공업 지역이 나타난 지도입니다. ○ 표시된 곳에 중화학 공업 단지가 생긴 까닭을 쓰시오.

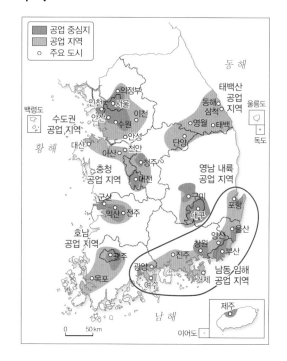

_____

_____

15 ➕ 11종 공통

우리나라의 교통 발달 모습으로 옳지 않은 것은 어느 것입니까? (   )

① 항구의 수가 늘면서 물건의 이동이 증가했다.
② 공항의 수가 늘면서 사람들의 이동이 활발해졌다.
③ 고속 철도가 개통되어 사람들의 생활권이 넓어졌다.
④ 교통의 발달로 사람과 물자의 이동이 더욱 줄어들었다.
⑤ 고속 국도가 건설되어 사람들이 주요 도시를 빠르게 이동할 수 있게 되었다.

1 ✚ 11종 공통

다음 **보기** 에서 우리나라의 위치에 대한 설명으로 알맞은 것을 모두 골라 기호를 쓰시오.

보기 ●
㉠ 일본과 중국 사이에 위치한다.
㉡ 아시아 대륙의 동쪽에 위치한다.
㉢ 서경 124°~132° 사이에 위치한다.
㉣ 적도를 기준으로 북쪽에 위치한다.

( )

2 ✚ 11종 공통

다음 ㉠, ㉡에 들어갈 알맞은 말을 쓰시오.

우리 국토는 도로나 철도를 이용하여 (㉠)(으)로 나아가기에 유리합니다. 또 삼면이 바다와 맞닿아 있어 (㉡)(으)로 나아가기에도 좋은 위치에 있습니다.

㉠ ( ), ㉡ ( )

3 ✚ 11종 공통

우리나라의 영해에 대해 **잘못** 설명한 친구를 골라 이름을 쓰시오.

• 나라: 우리 주권이 미치는 바다의 영역입니다.
• 용훈: 동해안은 밀물일 때의 해안선을 기준으로 합니다.
• 다빈: 영해를 설정하는 기준선으로부터 12해리까지입니다.
• 윤수: 다른 나라 배가 우리나라의 영해에 들어오려면 허가를 받아야 합니다.

( )

4 미래엔, 아이스크림 외

다음 사진에 나타난 장소에 대해 조사한 내용으로 옳지 **않은** 것은 어느 것입니까? ( )

▲ 비무장 지대

① 우리나라 국토의 북쪽 끝에 해당한다.
② 군인이나 무기를 원칙적으로 배치할 수 없다.
③ 휴전선을 기준으로 남과 북에 위치한 영역이다.
④ 비무장 지대 근처에는 민간인 통제 구역이 있다.
⑤ 오랫동안 사람들의 발길이 닿지 않아 생태계가 보존되었다.

5 서술형 ✚ 11종 공통

다음 사진에 나타난 섬의 특징을 두 가지 쓰시오.

▲ 독도

_____

_____

6 ➕ 11종 공통

우리나라 지형의 특징에 대한 설명으로 알맞은 것은 어느 것입니까? (　　　)

① 국토의 약 70%가 하천이다.
② 비교적 낮은 평야는 동쪽에 발달했다.
③ 높고 험한 산은 대부분 남쪽과 서쪽에 많다.
④ 큰 하천은 대부분 동쪽에서 서쪽으로 흘러간다.
⑤ 산지에는 농사지을 땅이 나타나며 도시가 발달했다.

7 ➕ 11종 공통

다음 ㉠, ㉡에 들어갈 알맞은 말을 쓰시오.

> 우리나라는 차가운 북서풍을 막아 주는 (　㉠　)와/과 수심이 깊은 동해의 영향으로 (　㉡　)의 겨울 기온은 서해안보다 높은 편입니다.

㉠ (　　　　　　), ㉡ (　　　　　　　　)

8 ➕ 11종 공통

다음 지도에서 연평균 강수량이 1,000mm 미만인 지역은 어디입니까? (　　　)

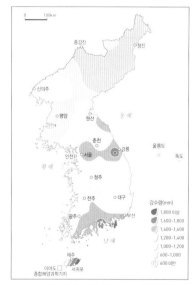

▲ 우리나라의 연평균 강수량

① 강릉
② 부산
③ 중강진
④ 울릉도
⑤ 서귀포

9 ➕ 11종 공통

우리나라에서 발생하는 자연재해에 대해 알맞게 말한 친구를 고르시오. (　　　)

① 한파가 발생하면 매우 심한 더위가 나타나.

② 가뭄이 발생하면 물이 부족해 농작물이 피해를 입기도 해.

③ 황사는 자동차의 배기가스, 공장 등에서 배출하는 매연 때문에 발생해.

④ 홍수는 한꺼번에 눈이 많이 내리는 현상이야.

10 서술형 ➕ 11종 공통

다음 사진에 나타난 자연재해의 의미를 쓰시오.

▲ 폭설

_____

_____

11 ⊕ 11종 공통

다음은 우리나라의 연령별 인구 구성의 변화 그래프입니다. 이를 보고 알 수 있는 내용으로 알맞은 것은 어느 것입니까? (   )

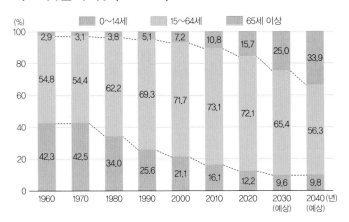

① 노년층의 비율은 점점 줄고 있다.
② 유소년층의 비율은 점점 늘고 있다.
③ 1970년에는 노년층이 42.5%를 차지했다.
④ 2020년에는 유소년층이 15.7%를 차지했다.
⑤ 2020년에는 유소년층 인구보다 노년층 인구가 차지하는 비율이 더 높다.

12 ⊕ 11종 공통

다음 우리나라 도시 발달의 과정을 순서대로 알맞게 기호를 쓰시오.

> ㉠ 서울, 인천, 부산, 대구 등의 인구가 급속히 증가했다.
> ㉡ 포항, 울산, 마산, 창원 등이 새로운 공업 도시로 성장했다.
> ㉢ 대도시 주변 지역에 신도시를 건설하고, 공공기관 등을 지방으로 옮겼다.

(   ) → (   ) → (   )

13 비상교과서, 천재교육 외

다음에서 설명하는 지역으로 알맞은 곳은 어디입니까? (   )

> 연구소와 대학교가 협력해 첨단 산업이 성장했습니다.

① 광주   ② 대구   ③ 대전
④ 동해   ⑤ 서울

14 서술형 ⊕ 11종 공통

다음 두 교통도를 보고, 우리나라의 교통 발달 모습에 대해 쓰시오.

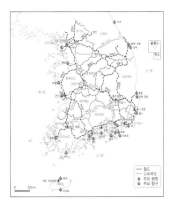
▲ 1980년의 교통도

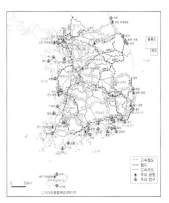
▲ 2020년의 교통도

_____

_____

15 ⊕ 11종 공통

다음 보기 에서 인구, 도시, 산업, 교통 간의 관계에 대한 설명으로 알맞은 것을 모두 골라 기호를 쓰시오.

> 보기
> ㉠ 주요 공업 지역에 인구가 많다.
> ㉡ 인구가 적은 지역에 주요 도시가 분포하고 있다.
> ㉢ 교통이 발달한 곳에 사람들이 많이 모여 살고 있다.

(   )

● 정답과 풀이 12쪽

평가 주제 우리나라의 영역 살펴보기

평가 목표 우리나라 영역의 구성을 설명할 수 있다.

[1-2] 다음은 우리나라의 영역을 나타낸 지도입니다. 물음에 답하시오.

영토	• 한 나라의 주권이 미치는 땅으로 영해와 영공을 정하는 기준이 됨. • (㉠)와/과 (㉠)에 속한 여러 섬을 말함.
영해	우리나라 영토 주변의 바다로, 영해를 설정하는 기준선으로부터 (㉡)까지임.
영공	㉢

1 위 표의 ㉠, ㉡에 들어갈 알맞은 말을 쓰시오.

㉠ (   ), ㉡ (   )

도움 영토는 땅, 영해는 바다, 영공은 하늘에서의 영역입니다.

2 위 표의 ㉢에 들어갈 알맞은 내용을 쓰시오.

_____

_____

도움 우리나라의 영역에는 다른 나라가 함부로 들어올 수 없습니다.

평가 주제	우리나라 산지, 하천, 평야의 모습 살펴보기
평가 목표	우리 국토의 지형과 이를 이용하는 사람들의 모습을 설명할 수 있다.

[1-2] 다음은 우리나라의 지형도와 지형 단면도입니다. 물음에 답하시오.

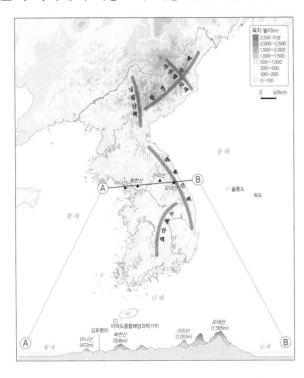

1 위 지도에 나타난 우리나라 지형의 특징을 살펴보고, ㉠~㉣에 들어갈 알맞은 말을 쓰시오.

산지	높고 험한 산지는 대부분 (㉠)에 많음.
하천	큰 하천은 대부분 (㉡)에서 (㉢)으로 흘러감.
평야	비교적 낮은 평야는 (㉣)에 발달함.

도움 우리나라는 국토의 약 70%가 산지입니다. 우리나라는 대체로 동쪽이 높고 서쪽이 낮은 지형이 나타납니다.

2 사람들이 위와 같은 산지 지형을 이용하는 모습을 쓰시오.

_____

_____

도움 사람들은 지형을 이용해 살아가거나 더 나은 생활을 하려고 지형을 개발하기도 합니다.

| 평가 주제 | 인문환경의 변화에 따른 국토 모습 파악하기 |
| 평가 목표 | 주요 공업 지역 지도와 교통도를 보고 우리 국토의 인문환경을 설명할 수 있다. |

[1-3] 다음 두 지도를 보고, 물음에 답하시오.

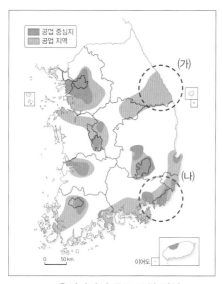

▲ 우리나라의 주요 공업 지역

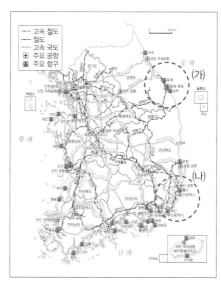

▲ 우리나라의 교통도

1 위 지도에 표시된 ㈎와 ㈏ 중 산업과 교통이 더 발달한 지역은 어디인지 쓰시오.

(   )

도움 교통의 발달로 물자의 이동이 쉬워져 다양한 산업이 발달합니다.

2 ㈎ 지역에 발달한 산업은 무엇인지 쓰시오.

(   ) 산업

도움 태백산 공업 지역은 풍부한 지하자원을 바탕으로 원료 산업이 발달했습니다.

3 위 지도에 표시된 ㈏ 지역에 항구가 많은 까닭을 쓰시오.

_____

_____

도움 다양한 교통 시설이 발달하면 사람과 물건의 이동이 편리해지고 산업이 더욱 성장할 수 있습니다.

2 인권 존중과 정의로운 사회

1 인권을 존중하는 삶

2 인권 보장과 헌법

3 법의 의미와 역할

▶ 단원별 학습 내용과 교과서별 해당 쪽수를 확인해 보세요.

단원	학습 내용	백점 쪽수	교과서별 쪽수				
			동아출판	미래엔	비상 교과서	아이스크림 미디어	천재교육
1 인권을 존중하는 삶	• 인권의 의미와 중요성 설명하기 • 인권 신장을 위해 노력한 옛 사람들의 활동 탐구하기 • 인권 보장이 필요한 사례와 인권 보장을 위한 노력 탐구하기	54~65	88~113	88~113	88~111	88~107	86~105
2 인권 보장과 헌법	• 인권을 보장하는 헌법의 의미와 역할 설명하기 • 헌법에 나온 기본권의 종류 알아보기 • 권리와 의무의 관계 살펴보기	66~73	114~131	114~135	112~129	108~127	106~123
3 법의 의미와 역할	• 법의 의미와 특징 설명하기 • 생활 속의 법과 법의 역할 알아보기 • 법을 지키는 태도를 지니고 실천하기	74~85	132~153	136~155	130~149	128~149	124~139

[단원명이 다른 교과서]
2 단원: 천재교과서(인권 보장을 위한 헌법)

1 인권을 존중하는 삶 (1)

1 인권의 의미와 특성

① **인권의 의미**: 모든 사람이 인간다운 삶을 살아가기 위해 당연히 누려야 할 기본적인 권리를 말합니다.

② **인권의 특성** 자료1

- 모든 사람은 태어나면서부터 인간답게 살 권리가 있습니다.
- 인종, 국적, 성별, 종교, 언어, 나이, 신체적 특징 등과 관계없이 누구나 동등하게 누려야 하는 권리입니다.
- 인권이 보장될 때 우리는 인간으로서 존엄을 지키고 행복하게 살 수 있습니다.

2 생활 속에서 인권이 존중되는 모습 +

| 어린이가 안전하게 등하교할 수 있도록 학교 앞에 어린이 보호 구역을 지정함. | 몸이 불편한 사람도 대중교통을 이용할 수 있도록 저상 버스를 운영함. | 장애인이 편리하게 이동할 수 있도록 장애인 전용 주차 구역을 만듦. | 임산부가 편하게 이동할 수 있도록 지하철이나 버스에 임산부 배려석을 설치함. |

└ 신호등에 시각 장애인용 청각 신호기를 설치하기도 해요.

3 인권을 지키기 위한 우리의 노력과 태도 +

① 인권은 태어날 때부터 모든 사람에게 평등하게 보장되는 것이며 다른 사람이 힘이나 권력으로 함부로 빼앗을 수 없습니다.
→ 우리는 누구나 안전하게 행복을 누리며 살아갈 권리가 있습니다.

② 모든 사람은 나와 똑같은 권리가 있으므로 다른 사람의 권리를 존중하는 태도가 중요합니다.

③ 인권을 보장받지 못하는 사람에게 지속적인 관심을 가집니다.

4 내가 생각하는 인권이란 무엇인지 이야기해 보기 자료2

- 서로의 차이를 인정하고 배려하는 것입니다.
- 다른 사람의 개성과 생각을 존중해 주는 것입니다.
- 나와 다른 사람을 배려하고 인격적으로 대해 주는 것입니다.
- 외국인이나 몸이 불편한 사람에게 친절을 베푸는 것입니다.
- 깨끗한 환경에서 생활하고 깨끗한 음식을 먹을 권리입니다.

+ 일상생활에서 누리고 있는 권리

인권에는 의식주와 같이 살아가는 데 꼭 필요한 것들과 관련된 권리만 있는 것이 아닙니다. 차별받지 않을 권리, 교육받을 권리 등 인간다운 삶을 살아가는 데 필요한 다양한 권리가 포함되어 있습니다.

+ 국제 연합(UN) 아동 권리 선언

- 인종, 종교, 성별 등으로 인한 차별을 받지 않을 권리
- 신체적·정신적으로 올바르게 성장할 기회를 가질 권리
- 이름과 국적을 가질 권리
- 적절한 영양 섭취, 주거 시설, 의료 서비스를 받을 권리
- 장애를 지닌 아동이 특별한 치료와 교육 및 보살핌을 받을 권리

국제 연합(UN) 아동 권리 선언은 모든 18세 미만 아동의 권리를 담은 국제적 약속입니다. 이 협약에는 어린이라면 누구나 마땅히 누려야 할 생존·보호·발달·참여의 권리가 담겨 있습니다.

용어사전

- **권리** 어떤 일을 하거나 다른 사람에 대해 당연히 요구할 수 있는 힘이나 자격.
- **동등** 등급이나 정도가 같음. 또는 그런 등급이나 정도.
- **저상 버스** 장애인들이 휠체어를 탄 채 버스에 쉽게 오를 수 있도록 바닥이 낮고 출입구에 경사판을 설치한 버스.
- **권력** 남을 자신의 뜻대로 움직이거나 지배할 수 있는 힘.

● 정답과 풀이 13쪽

자료 1 세계 인권 선언

> 제1조 모든 사람은 태어날 때부터 자유롭고, 존엄하며, 평등하다.
> 제2조 모든 사람은 인종, 피부색, 성, 언어, 종교 등 어떤 이유로도 차별받지 않는다.
> 제3조 모든 사람은 생명과 신체의 자유와 안전에 대한 권리를 가진다.
> 제4조 어느 누구도 노예 상태 또는 예속 상태에 놓이지 아니한다.
> 제5조 어느 누구도 고문이나 잔인하고 비인도적이며 굴욕적인 처우 또는 형벌을 받지 아니한다.
> 제6조 모든 사람은 어디에서나 법 앞에서 한 인간으로서 인정받을 권리를 가진다.
> 제7조 모든 사람은 법 앞에 평등하고, 법의 보호를 받을 권리를 가진다.
> 제8조 모든 사람은 헌법이나 법률이 부여한 기본권의 침해에 대해 국내 법정에서 구제받을 권리가 있다.
> 제9조 어느 누구도 자의적으로 체포, 구금 또는 추방당하지 아니한다.
> 제10조 모든 사람은 독립적이고 공평한 법정에서 공정하고 공개적인 재판을 받을 권리를 가진다.
>
> ...

▶ 제2차 세계 대전 이후 전 세계적으로 인권을 보호해야 한다는 생각이 퍼졌습니다. 세계 인권 선언은 1948년에 국제 연합(UN) 총회에서 발표했습니다. 이 선언은 인권의 의미와 내용이 담긴 30개의 조항으로 구성되어 있습니다.

자료 2 인권 포스터

▶ 인권 포스터를 보면 피부색, 나이, 출신 국가, 성별, 장애의 유무 등에 관계없이 모든 사람이 사람답게 사는 세상을 홍보하는 내용입니다. 또한 사람마다 생김새와 특성이 다르지만 모두 똑같은 사람이라는 내용을 담고 있습니다.

1
( )은/는 모든 사람이 인간다운 삶을 살아가기 위해 당연히 누려야 할 기본적인 권리를 말합니다.

2
인권은 태어날 때부터 모든 사람에게 (평등하게 , 다르게) 보장되는 것입니다.

3
모든 사람은 나와 똑같은 권리가 있으므로 우리는 다른 사람의 권리를 ( )하는 태도가 중요합니다.

4
인간답게 살 권리를 다른 사람이 힘이나 권력으로 함부로 빼앗을 수 없습니다.
(○ , ×)

5
( ) 아동 권리 선언은 모든 18세 미만 아동의 권리를 담은 국제적 약속입니다.

1 인권을 존중하는 삶 (1)

1 ⊕ 11종 공통

다음에서 설명하는 것이 무엇인지 쓰시오.

모든 사람이 인간다운 삶을 살아가기 위해 당연히 누려야 할 기본적인 권리를 말합니다.

( )

2 ⊕ 11종 공통

인권에 대한 설명으로 알맞지 <u>않은</u> 것은 어느 것입니까? ( )

① 어떤 이유로도 침해당해서는 안 된다.
② 사람이기 때문에 당연히 누리는 권리이다.
③ 누구나 안전하게 행복을 누리며 살아갈 권리이다.
④ 성인이 된 모든 사람에게 평등하게 보장되는 것이다.
⑤ 다른 사람이 힘이나 권력으로 함부로 빼앗을 수 없다.

3 ⊕ 11종 공통

인권에 대해 알맞게 말한 친구를 골라 ○표 하시오.

(1) 의식주와 관련된 권리만 인권에 해당합니다.

(2) 차별받지 않을 권리, 교육받을 권리도 인권에 해당합니다.

( ) ( )

4 ⊕ 11종 공통

다음 보기 에서 인권을 존중하는 모습으로 알맞은 것을 모두 골라 기호를 쓰시오.

─ 보기 ●
㉠ 서로의 개성과 생각을 존중한다.
㉡ 인종, 국적, 성별에 따라 다르게 대한다.
㉢ 나와 다른 사람을 배려하고 인격적으로 대한다.

( )

5 ⊕ 11종 공통

임산부의 인권을 존중하는 모습으로 알맞은 것은 어느 것입니까? ( )

①  ②

③  ④

6 서술형 ⊕ 11종 공통

생활 속에서 어린이의 인권을 존중하는 모습을 한 가지만 쓰시오.

_____

_____

7 ➕ 11종 공통

다음 빈칸에 들어갈 알맞은 말에 ○표 하시오.

> (고속 버스 , 저상 버스)는 바닥이 낮고 출입구에 경사판을 설치한 버스로, 몸이 불편한 사람도 대중 교통을 이용할 수 있도록 운영하는 버스입니다.

8 서술형 ➕ 11종 공통

다음 사진과 같은 시설을 만드는 까닭을 쓰시오.

_____

_____

9 동아출판, 천재교육 외

다음 ( ) 안에 들어갈 알맞은 말을 쓰시오.

> ( ) 아동 권리 선언은 모든 18세 미만 아동의 권리를 담은 국제적 약속입니다. 이 협약에는 어린이라면 누구나 마땅히 누려야 할 생존·보호·발달·참여의 권리가 담겨 있습니다.

( )

10 미래엔, 아이스크림 외

다음 밑줄 친 '이 선언'이 무엇인지 쓰시오.

> 이 선언은 1948년에 국제 연합(UN) 총회에서 발표했습니다. 이 선언은 인권의 의미와 내용이 담긴 30개의 조항으로 구성되어 있습니다.
>
> 제1조 모든 사람은 태어날 때부터 자유롭고, 존엄하며, 평등하다.
> 제2조 모든 사람은 인종, 피부색, 성, 언어, 종교 등 어떤 이유로도 차별받지 않는다.
> 제3조 모든 사람은 생명과 신체의 자유와 안전에 대한 권리를 가진다.
> …

( ) 선언

11 ➕ 11종 공통

다른 사람의 권리를 존중해야 하는 까닭을 알맞게 말한 친구를 골라 이름을 쓰시오.

> • 지원: 사람마다 보장된 권리가 다르기 때문이야.
> • 한빛: 모든 사람은 나와 똑같은 권리가 있기 때문이야.
> • 은우: 인권은 다른 사람이 힘으로 빼앗을 수 있기 때문이야.
> • 채영: 나의 권리보다 다른 사람의 권리가 더 중요하기 때문이야.

( )

12 ➕ 11종 공통

인권을 지키기 위한 우리의 태도로 알맞은 것은 어느 것입니까? ( )

① 다른 사람의 권리를 존중한다.
② 나의 편리함만을 먼저 생각한다.
③ 몸이 불편한 사람을 봐도 모른 척한다.
④ 우리와 피부색이 다른 사람을 차별한다.
⑤ 나와 생각이 다른 사람과는 어울리지 않는다.

1 인권을 존중하는 삶 (2)

1 인권 신장을 위해 노력했던 옛사람들의 활동

① 인권 신장을 위해 노력한 우리나라의 인물과 그 활동 +

허균	• 『홍길동전』에서 신분에 따라 차별하는 당시의 사회 제도를 비판함. [자료 1] • 허균은 양반 신분이지만 가난한 백성의 편에 서서 신분 제도의 잘못된 점을 주장함.
방정환	• 아이들을 '어린이'로 부르며 어린이의 인격을 어른과 동등하게 존중하자고 주장함. • 어린이를 위한 잡지와 어린이날을 만드는 등 어린이의 인권 신장을 위해 노력함. [자료 2]
박두성	• 시각 장애인이 손으로 읽을 수 있는 한글 점자인 '훈맹정음'을 만들었음. • 시각 장애인 교육에 힘쓰며 한글 점자책을 만들어 배포하고, 한글 점자 투표를 시행할 수 있도록 노력함.
이태영	• 우리나라 최초의 여성 변호사로, 억울한 일을 당한 여성들의 법률 상담을 무료로 해 줌. • 여성의 인권을 차별하는 가족법을 바꾸는 일에 앞장섬.

② 인권 신장을 위해 노력한 다른 나라의 인물과 그 활동

테레사 수녀	• 가난하고 아픈 사람들을 위해 평생을 바침. • 버림받은 아이도 존중해야 한다고 생각함.
마틴 루서 킹	• 백인에게 차별받는 흑인의 인권을 신장하려고 노력함. • 흑인도 백인과 똑같은 인간으로서 존엄성을 가지며 동일하게 대우해야 한다고 연설함.

2 인권 신장을 위한 옛날의 여러 제도 + [자료 3]

① **격쟁**: 억울한 일을 당한 사람이 임금의 행차 때 징이나 꽹과리를 쳐서 임금에게 억울함을 호소할 수 있었습니다.

② **신문고 제도**: 백성들은 억울한 일이 있을 때 대궐 밖에 설치된 북을 쳐서 임금에게 알릴 수 있었습니다.

③ **상언 제도**: 신분과 관계없이 억울한 일을 문서에 써서 임금에게 호소할 수 있었습니다.

④ **삼복제**: 사형과 같은 무거운 형벌을 내릴 때는 신분과 관계없이 세 번의 재판을 거치도록 하여 억울하게 벌을 받지 않도록 했습니다.

| 격쟁 | 신문고 제도 | 상언 제도 | 삼복제 |

재판을 세 번까지 할 수 있는 제도는 ──┘
오늘날까지 이어지고 있어요.

+ 인권 신장을 위해 노력한 인물

• 전태일: 노동자들의 어려운 상황을 알리고 「근로 기준법」을 지킬 것을 호소했습니다.
• 이효재: 가족 내 남성과 여성의 평등한 관계를 주장하고 여성 단체를 만드는 등 여성의 인권 신장을 위해 노력했습니다.

+ 조선 시대에 억울한 일을 해결했던 방법

• 신분이 높은 사람: 상소를 올리거나 나라의 여러 기관에 자신의 억울함을 말할 수 있었습니다.
• 일반 백성: 원통하고 억울한 일을 당해도 하소연하기 어려웠습니다.

용어 사전

● **신장** 사람이나 일의 세력이나 권리 등을 전보다 더 커지거나 늘어나게 함.
● **점자** 손가락으로 더듬어 읽도록 만든 시각 장애인용 문자.
● **호소** 억울하고 원통한 사정을 남에게 강한 주장이나 표현으로 하소연함.
● **상소** 임금에게 글을 올리던 일.

자료 1 『홍길동전』

> 어디서 감히 아버지라고 하느냐!

> 어찌하여 아버지를 아버지라고 부르지 못하는지요?

홍길동은 어려서부터 무예와 학문을 익혀 능력이 뛰어났다. 하지만 어머니가 노비 신분이라는 이유로 무시당하고 자신의 능력을 펼칠 기회조차 얻지 못한다. 차별을 견디지 못하고 집을 떠난 홍길동은 의적이 되어 백성들을 괴롭히는 관리를 벌하고 가난한 백성들을 돕는다. 그 후 홍길동은 조선을 떠나 신분 차별이 없는 율도국이라는 나라를 세운다.

▶ 허균은 서얼 출신인 홍길동을 주인공으로 내세워 신분으로 차별받는 사람들의 인권을 다루었습니다.

자료 2 1923년 제1회 어린이날 선전문

- 어린이를 내려다보지 마시고 쳐다 보아 주시오.
- 어린이에게 경어를 쓰시되 부드럽게 하여 주시오.
- 잠자는 것과 운동하는 것을 충분히 하게 하여 주시오.
- 어린이를 책망하실 때에는 성만 내지 마시고 자세히 타일러 주시오.
- 어린이들이 즐겁게 놀 만한 놀이터와 기관 같은 것을 지어 주시오.

▶ 방정환은 어린이가 바르게 자라야 나라의 미래가 있다고 생각하여 어린이가 차별받지 않도록 노력했습니다.

자료 3 『경국대전』에 나타난 인권 신장에 관한 내용

- 가난하여 약을 살 수 없는 사람에게는 관청에서 약을 준다.
- 굶주림과 추위 속에서 얻어 먹으며 다니는 사람과 돌봐 줄 사람이 없는 노인에게는 옷과 먹을 것을 내준다.
- 출산을 앞둔 여자 노비는 출산 전에 한 달, 출산 후에 50일의 휴가를 준다. 그 남편도 출산 후에 15일의 휴가를 준다.

▶ 조선 시대에 나라를 다스리는 기준이 된 법전인 『경국대전』에는 인권 신장에 관한 내용이 나타나 있습니다.

1

(   )은/는 모든 어린이가 꿈과 희망을 품고 행복하게 자라기를 바라는 마음으로 어린이날을 만들었습니다.

2

(전태일 , 이태영)은 노동자들의 어려운 상황을 알리고 「근로 기준법」을 지킬 것을 호소했습니다.

3

(   )은/는 『홍길동전』을 지어 신분이 천하다는 이유로 능력을 펼칠 기회조차 주지 않는 당시의 사회 제도를 비판하였습니다.

4

사형과 같은 무거운 형벌을 내릴 때는 신분과 관계없이 두 번의 재판을 거치도록 했습니다.

(○ , ×)

5

백성들은 억울한 일이 있을 때 대궐 밖에 설치된 북을 쳐서 임금에게 알리던 것을 (   ) 제도라고 합니다.

1 인권을 존중하는 삶 (2)

1 ➕ 11종 공통

다음 밑줄 친 '이 사람'이 누구인지 쓰시오.

> • 이 사람이 쓴 『홍길동전』은 신분으로 차별 받는 사람들의 인권을 다루고 있습니다.
> • 이 사람은 신분이 천하다는 이유로 능력을 펼칠 기회조차 주지 않는 당시의 사회 제도를 고쳐야 한다고 주장했습니다.

(   )

2 ➕ 11종 공통

다음 ㉠, ㉡에 들어갈 말을 알맞게 짝지은 것은 어느 것입니까? (   )

> (㉠)은/는 모든 어린이가 꿈과 희망을 품고 행복하게 자라기를 바라는 마음으로 (㉡)을 만들었습니다.

	㉠	㉡
①	허균	어버이날
②	방정환	어린이날
③	방정환	어버이날
④	전태일	어린이날
⑤	전태일	어버이날

3 비상교과서, 천재교과서 외

다음에서 설명하는 사람은 누구인지 쓰시오.

> 백인에게 차별받는 흑인의 인권을 신장하고자 노력했으며 비폭력적인 방법으로 흑인 차별 반대 운동을 이끌어 승리했습니다.

(   )

4 금성출판사, 비상교과서 외

다음 (   ) 안에 공통으로 들어갈 사람은 누구입니까? (   )

> **인권상 수상 후보자 추천서**
>
> 대상자: (   )
>
> 귀하는 평소 인권 신장을 위해 가난하고 아픈 사람들을 도와주고 보살펴 주는 일을 몸소 실천했습니다. 이에 귀하 (   )을/를 올해의 인권상 수상자로 적극 추천하는 바입니다.

① 박두성   ② 이태영
③ 이효재   ④ 테레사 수녀
⑤ 마틴 루서 킹

5 ➕ 11종 공통

다음 보기 에서 삼복제에 대한 설명으로 알맞은 것을 모두 고른 것은 어느 것입니까? (   )

> ── 보기 ●──
> ㉠ 신분이 높은 사람에게만 적용됐다.
> ㉡ 오늘날에는 찾아볼 수 없는 제도이다.
> ㉢ 세 번의 재판을 거치도록 한 제도이다.
> ㉣ 사형과 같은 무거운 형벌을 내릴 때 적용한 제도이다.

① ㉠, ㉡   ② ㉠, ㉣
③ ㉡, ㉢   ④ ㉡, ㉣
⑤ ㉢, ㉣

6 서술형 ➕ 11종 공통

옛날에 무거운 형벌을 내릴 때 세 번의 재판을 거치도록 한 까닭을 쓰시오.

_____

_____

[7-8] 다음 그림을 보고, 물음에 답하시오.

7 지학사, 천재교과서 외

위 그림에 나타난 인권 신장을 위한 옛날의 제도는 무엇인지 쓰시오.

( )

8 지학사, 천재교과서 외

옛날에 백성들이 위와 같은 행동을 했던 까닭은 무엇입니까? ( )

① 재판을 하지 않기 위해서
② 나랏일에 참여하고 싶어서
③ 재판을 빨리 끝내기 위해서
④ 죄지은 사람을 직접 벌주기 위해서
⑤ 임금에게 억울한 일을 호소하기 위해서

9 ➕ 11종 공통

다음 ( ) 안에 들어갈 알맞은 제도를 쓰시오.

> 조선 시대에 신분이 높은 사람은 ( )을/를 올리거나 나라의 여러 기관에 자신의 억울함을 말할 수 있었습니다.

( )

10 ➕ 11종 공통

다음 빈칸에 들어갈 알맞은 제도에 ○표 하시오.

> 신분과 관계없이 억울한 일을 문서에 써서 누구든지 임금에게 자신의 사정을 알릴 수 있었던 것을 (상언 , 신문고) 제도라고 합니다.

[11-12] 다음은 신문고 제도에 대해 정리한 표입니다. 물음에 답하시오.

왜 했나요?	㉠
무엇을 했나요?	대궐 밖에 설치된 (㉡)을/를 쳤습니다.
누가 했나요?	관리, 일반 백성 등이 했습니다.

11 서술형 ➕ 11종 공통

위 표의 ㉠에 들어갈 알맞은 내용을 쓰시오.

_____

_____

12 ➕ 11종 공통

위 표의 ㉡에 들어갈 알맞은 말을 쓰시오.

( )

1 인권을 존중하는 삶 (3)

1 생활 속에서 인권 보장이 필요한 사례

남자가 무슨 공기놀이를 해!

피부색이 다른 친구는 대화가 통하지 않을 거라는 편견을 가지고 있음.	남자는 공기놀이를 하면 안 된다고 생각하는 편견을 가지고 있음.	친구가 허락 없이 자신의 사진을 누리 소통망 서비스(SNS)에 올림.
망가진 놀이터가 고쳐지지 않고 방치되어 어린이의 놀 권리가 침해받음.	몸이 불편한 사람이 계단을 오르지 못해 원하는 곳에 갈 수 없음.	일자리를 구하려고 하지만 나이가 많다는 이유로 취업을 할 수 없음.

➕ 장애인의 인권 보장이 필요한 사례

법에 따르면 장애인 보조견 표지를 붙인 장애인 보조견의 대중교통 이용 및 공공장소, 숙박 시설 등의 출입을 정당한 이유 없이 거부해서는 안 됩니다.

하지만 최근 장애인 보조견의 출입을 거부하는 사례가 있어 시각 장애인들이 불편을 겪고 있습니다.

국가에서는 인권 보장을 위한 법이 제대로 시행되고 있는지 관리하고 감독해야 합니다.

2 인권 보장을 위한 노력 알아보기 자료 1

인권 관련 법 시행	국가는 장애, 성별 등에 따라 불합리한 차별이 발생하지 않도록 법을 만들어 시행함.
인권 교육 활동 실시	학교에서는 자신의 권리를 알고, 다른 사람의 인권을 존중할 수 있도록 인권 교육을 실시함.
인권 관련 국가 기관 설치	국가는 국가 인권 위원회와 같은 인권 보장을 위한 국가 기관을 세움. 인권 침해를 당한 사람들은 이곳에 보호와 도움을 요청할 수 있음. 자료 2
공공 편의 시설 설치	국가와 지방 자치 단체는 모든 사람이 안전하고 편리할 수 있도록 다양한 공공 편의 시설을 설치하여 운영함. 자료 3
사회 보장 제도 시행	국가와 지방 자치 단체에서는 국민이 빈곤, 질병, 생활 불안 등에서 벗어나 안정적으로 살 수 있도록 다양한 사회 보장 제도를 만들어 시행함. 예 무료 예방 접종

└ 인권 보장은 시민들의 힘만으로는 할 수 없는 일도 있기 때문이에요.

➕ 우리가 할 수 있는 인권 보호 실천 방법

인권 캠페인하기	인권의 소중함이나 인권 보장하는 방법 등을 홍보하는 캠페인을 함.
인권 표어, 동영상 만들기	인권을 보장받지 못한 사례나 인권을 보장하는 방법 등을 알리는 표어나 동영상을 만듦.
인권 개선 편지 쓰기	인권 관련 기관에 인권 개선을 요구하는 편지를 써서 보냄.

3 생활 속에서 인권 보호를 실천하는 방법

- 인권 캠페인 활동하기, 인권을 주제로 한 작품 만들기, 인권 개선을 요구하는 편지 쓰기 등의 방법으로 인권 보호를 실천할 수 있습니다. ➕
- 다양성을 인정하는 태도를 지니고 상대방을 존중하는 말과 행동을 함으로써 다른 사람의 인권을 지킬 수 있습니다.

용어 사전

- **편견** 한쪽으로 치우친 공정하지 못한 생각이나 견해.
- **침해** 남의 권리나 재산 등을 함부로 침범하여 손해를 끼침.
- **사회 보장 제도** 질병, 실업, 장애, 노령, 빈곤 등으로 어려움에 처한 사람들을 돕고, 모든 국민의 인간다운 생활을 보장하기 위한 제도.

● 정답과 풀이 15쪽

자료1 인권 보장을 위한 다양한 노력

▲ 다문화 이해 교육

▲ 무료 예방 접종

> 인권을 보호하려면 국가 기관이나 단체뿐만 아니라 우리 모두의 관심과 노력이 필요합니다. 작은 일에서부터 인권을 존중하기 위해 노력하고, 인권 침해 문제를 해결하려는 태도를 가지면 모든 사람의 인권을 존중하는 사회를 만들 수 있습니다.

자료2 국가 인권 위원회가 하는 일

> 국가 인권 위원회는 모든 개인의 기본적 인권을 보호하고 향상함으로써 인간으로서의 존엄과 가치를 실현하려고 만들어졌습니다. 국가 인권 위원회는 인권 침해 사건을 조사하고 인권 침해를 당한 사람을 도와줍니다. 또한 인권 교육과 홍보 활동을 벌입니다.

자료3 장애인을 위한 공공 편의 시설

시각 장애인용 점자 안내도	시각 장애인에게 건물의 기본적인 위치와 구조에 관한 정보를 제공하는 안내판
점자 블록	시각 장애인이 안전하게 다닐 수 있도록 건물의 바닥이나 도로에 깐 블록
시각 장애인용 음향 신호기	횡단보도에서 시각 장애인에게 소리와 울림으로 신호가 바뀌었음을 알려주는 기기

▲ 시각 장애인용 점자 안내도

▲ 점자 블록

▲ 시각 장애인용 음향 신호기

1

사생활 침해, 편견이나 차별 등을 포함한 학교 폭력은 생활 속에서 (　　　　　) 보장이 필요한 사례입니다.

2

모든 사람이 행복하게 살아가려면 인권 침해를 당하는 사람에 대한 관심을 줄여야 합니다.

(○ , ×)

3

학교에서는 자신의 권리를 알고, 다른 사람의 인권을 존중할 수 있도록 인권 (　　　　　)을/를 실시합니다.

4

국가, 지방 자치 단체와 시민 등의 사회 구성원들이 인권 보장을 위해 많은 노력을 하고 있습니다.

(○ , ×)

5

다양성을 인정하는 태도를 지니고 상대방을 존중함으로써 다른 사람의 인권을 지킬 수 있습니다.

(○ , ×)

1 인권을 존중하는 삶 (3)

1 비상교육, 천재교과서 외

장애인이 겪을 수 있는 인권 침해 사례에 해당하는 것을 두 가지 고르시오. (　　,　　)

① 놀이터가 고쳐지지 않아 놀 곳이 없다.

② 피부색이 달라 친구들의 놀림을 받는다.

③ 점자 안내도가 없어서 건물의 위치를 찾을 수 없다.

④ 임산부 배려석이 없어서 대중교통 이용이 힘들다.

⑤ 건물에 점자 블록이 설치되어 있지 않아 시설을 이용하기 어렵다.

2 ➕ 11종 공통

다음과 같은 상황에서 인권 침해를 받는 사람을 고르시오. (　　　)

일자리를 구하려고 하지만 나이가 많다는 이유로 취업을 할 수 없습니다.

① 노인 ② 어린이

③ 장애인 ④ 임산부

⑤ 다문화 가족

3 ➕ 11종 공통

인권 보장을 위한 우리 사회의 노력을 선으로 알맞게 연결하시오.

(1) 국가 •

(2) 학교 •

• ㉠ 인권을 존중할 수 있도록 인권 교육을 실시함.

• ㉡ 불합리한 차별이 발생하지 않도록 법을 만들어 시행함.

[4-5] 다음 사진을 보고, 물음에 답하시오.

▲ 시각 장애인용 점자 안내도　　　　▲ 점자 블록

4 미래엔, 비상교과서 외

위 사진과 같은 공공 편의 시설을 설치하는 기관을 두 곳 고르시오. (　　,　　)

① 식당 ② 기업

③ 국가 ④ 학교

⑤ 지방 자치 단체

5 미래엔, 비상교과서 외

위 사진과 같은 시설을 설치하는 까닭을 알맞게 말한 친구를 골라 이름을 쓰시오.

• 세희: 학교 폭력을 없애기 위해서야.

• 민현: 다문화 가족에 대한 편견을 없애기 위해서야.

• 승기: 시각 장애인이 편리하고 안전하게 이동할 수 있게 하기 위해서야.

(　　　　　　　　　)

6 서술형 ➕ 11종 공통

다음 사례와 같은 문제를 해결하기 위해 국가가 해야 하는 일을 쓰시오.

　법에 따르면 장애인 보조견 표지를 붙인 장애인 보조견의 대중교통 이용 및 공공장소 등의 출입을 정당한 이유 없이 거부해서는 안 된다. 하지만 장애인 보조견의 출입을 거부하는 사례가 있어 시각 장애인들이 불편을 겪고 있다.

● 정답과 풀이 15쪽

7 ➕ 11종 공통

다음과 같은 일을 하는 우리나라의 국가 기관이 어디인지 쓰시오.

> • 우리나라의 국가 기관 중 모든 개인의 기본적 인권을 보호하고 향상함으로써 인간으로서의 존엄과 가치를 실현하려고 만들어졌습니다.
> • 인권 침해가 발생하면 이를 조사하고 인권 침해를 당한 사람을 도와주고 있습니다.

(   )

[8-9] 다음 글을 읽고, 물음에 답하시오.

> 국가와 지방 자치 단체에서는 국민이 빈곤, 질병, 생활 불안 등에서 벗어나 안정적으로 살 수 있도록 다양한 (   )을/를 만들어 시행합니다.

8 ➕ 11종 공통

위 (   ) 안에 들어갈 알맞은 말을 쓰시오.

(   )

9 서술형 ➕ 11종 공통

국가와 지방 자치 단체가 위 **8**번 답과 같은 제도를 만든 까닭을 쓰시오.

_____

_____

10 ➕ 11종 공통

어린이들이 할 수 있는 인권 보호를 실천하는 방법에 해당하지 않는 것은 어느 것입니까? (   )

① 인권 표어 만들기
② 인권 동영상 만들기
③ 인권 개선 편지 쓰기
④ 인권 캠페인 활동하기
⑤ 인권 관련 법 시행하기

11 ➕ 11종 공통

인권을 존중하는 말에 해당하지 않는 것은 어느 것입니까? (   )

① 차별하지 않는 말
② 외모를 놀리는 말
③ 차이를 인정해 주는 말
④ 다른 사람을 배려하는 말
⑤ 나와 다른 생각을 존중하는 말

12 ➕ 11종 공통

인권에 대한 설명으로 알맞은 것에 ○표, 알맞지 않은 것에 ×표 하시오.

(1) 상대방을 존중하는 말과 행동을 함으로써 나의 인권만 지킬 수 있습니다. (   )

(2) 어린이, 다문화 가족, 노인의 인권 보장을 위해 사회 구성원들이 다양한 노력을 하고 있습니다. (   )

2 인권 보장과 헌법 (1)

1 헌법의 의미와 중요성

① **헌법**: 법 중에서 가장 기본이 되는 법으로, 우리나라 최고의 법입니다.

② **헌법에 담긴 내용** ➕
┌─ 헌법의 내용을 새로 정하거나 고칠 때는 국민 투표를 해야 해요.
• 대한민국 국민이 누려야 할 권리와 지켜야 할 의무가 나타나 있습니다.
• 모든 국민이 존중받고 행복한 삶을 살아가는 데 필요한 내용을 담고 있습니다.
• 국민의 권리를 보장하고자 국가 기관을 조직하고 운영하는 기본 원칙을 제시하고 있습니다.

③ **인권 보장을 위한 헌법의 역할** 자료1
┌─ 헌법을 바탕으로 여러 가지 법이 만들어져요.
• 헌법은 새로운 법을 만들 때 그 법이 국민의 인권을 침해하지 못하도록 합니다.
• 헌법은 국민의 인권을 보장하는 역할을 하며, 법이 인권을 침해하지 않는지 등을 판단하는 기준을 제공합니다. ➕
• 법률이 국민의 인권을 침해한다면 국민 누구나 헌법 재판을 요청할 수 있습니다.

> ➕ **헌법이 중요한 까닭**
>
> **대한민국 헌법**
>
> 제1조 ① 대한민국은 민주공화국이다.
> ② 대한민국의 주권은 국민에게 있고, 모든 권력은 국민으로부터 나온다.
>
> 제10조 모든 국민은 인간으로서의 존엄과 가치를 가지며, 행복을 추구할 권리를 가진다. 국가는 개인이 가지는 불가침의 기본적 인권을 확인하고 이를 보장할 의무를 진다.
>
> 헌법에는 국민의 자유와 권리가 보장되어 있으며, 헌법의 내용에 따라 나라가 운영되기 때문에 헌법은 중요합니다.

2 헌법에 나타난 국민의 기본권

① **기본권**: 헌법으로 보장되는 국민의 기본적인 권리를 말합니다.

② **국민의 기본권의 종류** 자료2

평등권	자유권	사회권
성별이나 장애에 차별받지 않고 동등하게 교육받을 수 있어요.	원하는 직업을 자유롭게 선택할 수 있어요.	깨끗한 환경에서 생활할 수 있어요.
법을 공평하게 적용받아 차별받지 않을 권리	자유롭게 생각하고 행동할 수 있는 권리	인간답게 살 수 있도록 국가에 요구할 수 있는 권리

참정권	청구권
국민이 선거의 후보자로 출마할 수 있어요.	억울한 일을 당하면 재판을 청구할 수 있어요. / 구청에 민원을 제기할 수 있어요.
국가의 정치 의사 형성 과정에 참여할 수 있는 권리	기본권이 침해되었을 때 국가에 어떤 일을 해 달라고 요구할 수 있는 권리

③ **기본권이 제한되는 때**: 국가의 안전 보장, 공공의 이익, 사회 질서 유지 등을 위해 필요한 경우 법률에 따라 제한될 수도 있습니다.

> ➕ **헌법 재판소**
>
>
>
> 법이 헌법에 어긋나는지, 국가 권력이 국민의 권리를 침해하는지 등을 심판하는 곳입니다.

> **용어 사전**
>
> • **불가침** 침범해서는 안 됨.
> • **거주** 사람이 일정한 곳에 머물러 사는 것.
> • **이전** 장소나 주소를 다른 데로 옮김.
> • **공무** 공적인 일.

자료1 헌법 재판의 사례 예 인터넷 실명제

1 헌법 재판소에서는 법률이 국민의 인권을 침해하는지 헌법을 기준으로 판단합니다. → 인터넷 실명제는 사이버 범죄 예방에 도움이 될 수 있지만, 표현의 자유를 침해할 수도 있습니다.

○○신문   20△△년 △△월 △△일

인터넷 실명제, 헌법 재판소 간다.

'인터넷 실명제'는 인터넷 게시판에 글이나 댓글을 쓰려면 본인 확인 절차를 거치도록 하는 제도이다. 이 제도는 악성 댓글을 막고 성숙한 인터넷 문화를 만들기 위해 시행되었다. 그러나 인터넷 실명제에 반대하는 사람들은 이 제도가 표현의 자유를 침해한다며 헌법 재판소에 판단을 요청하였다.

↓

2 헌법 재판소에서 법률이 국민의 인권을 침해한다고 결정하면 그 법률은 개정되거나 폐지됩니다.

헌법 재판소의 결정 내용

인터넷 실명제는 개인 표현의 자유를 침해하였고, 제도가 시행된 뒤에 사이버 범죄가 줄어들지 않았다. 또한 인터넷 실명제를 시행하여 개인 정보 유출 가능성이 늘어나게 되었다. 따라서 이 법은 헌법에 위반된다.

1

(   )은/는 법 중에서 가장 기본이 되는 법으로, 우리나라 최고의 법입니다.

2

헌법에는 대한민국 국민이 누려야 할 (   )와/과 지켜야 할 의무가 나타나 있습니다.

3

헌법이 중요한 까닭은 헌법에 국민의 자유와 권리가 보장되어 있기 때문입니다.

(○ , ×)

자료2 국민의 기본권이 나타난 헌법 조항

헌법 조항	
평등권	제11조 ① 모든 국민은 법 앞에 평등하다.
자유권	제14조 모든 국민은 거주 이전의 자유를 가진다. 제15조 모든 국민은 직업 선택의 자유를 가진다.
사회권	제31조 ① 모든 국민은 능력에 따라 균등하게 교육을 받을 권리가 있다. 제35조 ① 모든 국민은 건강하고 쾌적한 환경에서 생활할 권리를 가진다.
참정권	제24조 모든 국민은 법률이 정하는 바에 의하여 선거권을 가진다. 제25조 모든 국민은 법률이 정하는 바에 의하여 공무 담임권을 가진다.
청구권	제26조 ① 모든 국민은 법률이 정하는 바에 의하여 국가 기관에 문서로 청원할 권리를 가진다. 제27조 ① 모든 국민은 헌법과 법률이 정한 법관에 의하여 법률에 의한 재판을 받을 권리를 가진다.

4

(   )(이)란 헌법으로 보장되는 국민의 기본적인 권리를 말합니다.

5

(사회권 , 청구권)은 기본권이 침해되었을 때 국가에 어떤 일을 해 달라고 요구할 수 있는 권리를 말합니다.

[1-2] 다음 자료를 보고, 물음에 답하시오.

> 대한민국 (   )
>
> 제1조 ① 대한민국은 민주공화국이다.
>   ② 대한민국의 주권은 국민에게 있고, 모든 권력은 국민으로부터 나온다.
> 제10조 모든 국민은 인간으로서의 존엄과 가치를 가지며, 행복을 추구할 권리를 가진다. 국가는 개인이 가지는 불가침의 기본적 인권을 확인하고 이를 보장할 의무를 진다.

1 ⊕ 11종 공통

우리나라 최고의 법으로, 위 (   ) 안에 들어갈 알맞은 말을 쓰시오.

(   )

2 ⊕ 11종 공통

위와 같은 법에 담겨 있는 내용을 보기 에서 모두 골라 기호를 쓰시오.

> 보기 ●
>
> ㉠ 국가 기관을 조직하고 운영하는 기본 원칙을 제시하고 있다.
> ㉡ 대한민국 국민이 누려야 할 권리와 지켜야 할 의무가 나타나 있다.
> ㉢ 모든 국민이 존중받고 행복한 삶을 살아가는 데 필요한 내용을 담고 있다.
> ㉣ 우리 사회에서 오랫동안 지켜 내려와 그 사회 구성원들이 널리 인정하는 질서나 풍습을 모두 담고 있다.

(   )

3 서술형 ⊕ 11종 공통

헌법의 내용을 새로 정하거나 고칠 때는 어떻게 해야 하는지 쓰시오.

_____

_____

4 ⊕ 11종 공통

헌법에서 인간 존엄을 위해 보장하고 있는 것이 <u>아닌</u> 것은 어느 것입니까? (   )

① 개인 존중   ② 행복한 삶
③ 인간다운 생활   ④ 직업 선택의 제한
⑤ 국민의 자유와 권리

5 비상교과서, 천재교육 외

다음 신문 기사를 통해 알 수 있는 헌법의 역할은 무엇입니까? (   )

> ○○신문   20△△년 △△월 △△일
>
> **인터넷 실명제, 헌법 재판소 간다.**
>
> '인터넷 실명제'는 인터넷 게시판에 글이나 댓글을 쓰려면 본인 확인 절차를 거치도록 하는 제도이다. 이 제도는 악성 댓글을 막고 성숙한 인터넷 문화를 만들기 위해 시행되었다. 그러나 인터넷 실명제에 반대하는 사람들은 이 제도가 표현의 자유를 침해한다며 헌법 재판소에 판단을 요청하였다.

① 개인의 인권을 보장한다.
② 개인이 가진 인권을 억압한다.
③ 청소년의 인권은 확인하지 않는다.
④ 부모보다 자녀의 인권을 더 중시한다.
⑤ 국민의 인권이 신장되지 못하도록 한다.

6 ⊕ 11종 공통

다음과 같은 일을 하는 곳은 어디인지 쓰시오.

> 법이 헌법에 어긋나는지, 국가 권력이 국민의 권리를 침해하는지 등을 심판합니다.

(   )

7 ➕ 11종 공통

다음 (　　) 안에 들어갈 알맞은 말에 ○표 하시오.

(의무 , 기본권)(이)란 헌법으로 보장되는 국민의 기본적인 권리를 말합니다.

[8-9] 다음 보기 를 보고, 물음에 답하시오.

보기 ●

ㄱ 자유권 ㄴ 사회권 ㄷ 참정권
ㄹ 청구권 ㅁ 평등권

8 ➕ 11종 공통

법을 공평하게 적용받아 차별받지 않을 수 있는 기본권의 종류를 보기 에서 골라 기호를 쓰시오.

(　　　　　　)

9 ➕ 11종 공통

다음 헌법 조항과 관련 있는 기본권의 종류를 보기 에서 골라 기호를 쓰시오.

제14조 모든 국민은 거주 이전의 자유를 가진다.
제15조 모든 국민은 직업 선택의 자유를 가진다.

(　　　　　　)

10 ➕ 11종 공통

다음 그림의 내용과 관련된 기본권을 쓰시오.

(1)

▲ 정치에 참여할 권리

(2)

▲ 재판을 받을 권리

(　　　　　) (　　　　　　)

11 ➕ 11종 공통

사회권이 생활에서 보장되는 사례를 두 가지 고르시오. (　　,　　)

① 교육을 받을 수 있다.
② 대통령 선거 날에 투표를 한다.
③ 쾌적한 환경에서 생활할 수 있다.
④ 억울한 일이 있을 때 재판을 받을 수 있다.
⑤ 성별이나 장애에 차별받지 않고 동등하게 일을 할 수 있다.

12 서술형 ➕ 11종 공통

헌법에서 보장하는 기본권이 제한되는 때를 두 가지 쓰시오.

_____

_____

2 인권 보장과 헌법 (2)

1 헌법에 나타난 국민의 의무

① 국민의 의무의 종류 [자료 1]

국방의 의무	납세의 의무	근로의 의무
모든 국민은 나와 가족, 우리 모두의 안전을 위해 나라를 지킬 의무가 있음.	모든 국민은 세금을 내야 할 의무가 있음.	모든 국민은 개인과 나라의 발전을 위해 일할 의무가 있음.

교육의 의무	환경 보전의 의무
모든 국민은 자녀가 잘 성장할 수 있도록 교육을 받게 할 의무가 있음.	모든 국민, 기업, 국가는 환경을 보전하기 위해 노력해야 할 의무가 있음.

우리가 학교에서 공부할 수 있는 것은 교육을 받을 수 있는 권리, 교육의 의무 둘 다 관련이 있어요.

② 국민의 의무의 특징

• 자신과 타인의 기본권 보호를 위해서는 그에 따른 책임과 의무가 따릅니다.
• 의무 실천은 나뿐만 아니라 다른 사람의 기본권을 보장해 주는 바탕이 됩니다.

2 권리와 의무의 관계

① 권리와 의무가 충돌했을 때 해결 과정 [자료 2]

1 문제 상황	자신의 땅을 개발하고 싶은 사람과 생태 보호 지역으로 지정해야 한다고 주장하는 ○○시의 의견이 대립하고 있음.
2 문제 원인	자신의 재산을 자유롭게 사용할 수 있는 권리와 환경을 보호해야 하는 의무 간에 충돌이 생겼음.
3 문제 해결 방안	• 바람직한 자세: 권리와 의무를 조화시킬 수 있는 합리적인 해결 방안을 생각해야 함. • 적절한 해결 방안: 예 땅 주인이 의무를 실행하기 위해 스스로 양보한 권리에 대해 충분한 보상이 이루어질 수 있도록 해야 함.

② 권리와 의무를 대하는 바람직한 태도

• 우리가 행복하게 살아가려면 헌법에 나타난 권리를 보장하고 의무를 실천하는 것이 모두 필요합니다.
• 권리와 의무 중 어느 하나만을 강조하는 것이 아니라 서로의 입장을 이해하고 공감하면서 권리와 의무의 조화를 추구하는 태도가 필요합니다.

🟦 국민의 의무와 관련된 생활 모습

• 교육의 의무: 부모님께서 자녀들을 학교에 보내 교육을 받게 하고 있습니다.
• 납세의 의무: 부모님께서 세금을 납부하십니다.
• 근로의 의무: 부모님, 삼촌, 고모 모두 열심히 일하고 계십니다.
• 국방의 의무: 사촌 오빠가 군대에 입대했습니다.
• 환경 보전의 의무: 쓰레기 분리수거를 합니다.

🟦 권리와 의무가 충돌할 때 생각해야 할 점

• 개인의 권리가 중요하다고 해서 자신의 뜻대로 하거나, 공공의 이익이 중요하다고 해서 한 사람에게만 권리를 포기하라고 하는 것이 옳은 일인지 생각해 봅니다.
• 더 많은 사람이 만족할 수 있고 행복할 수 있는 방법을 생각해 봅니다.

용어 사전

● **국방** 다른 나라의 침입이나 위협으로부터 나라를 안전하게 지키는 일.
● **납세** 세금을 냄.
● **보전** 변하는 것이 없도록 잘 지키고 유지함.

● 정답과 풀이 17쪽

자료 1 국민의 의무가 나타난 헌법 조항

국방의 의무	제39조 ① 모든 국민은 법률이 정하는 바에 의하여 국방의 의무를 진다.
납세의 의무	제38조 모든 국민은 법률이 정하는 바에 의하여 납세의 의무를 진다.
근로의 의무	제32조 ② 모든 국민은 근로의 의무를 진다. 국가는 근로의 의무의 내용과 조건을 민주주의의 원칙에 따라 법률로 정한다.
교육의 의무	제31조 ② 모든 국민은 그 보호하는 자녀에게 적어도 초등 교육과 법률이 정하는 교육을 받게 할 의무를 진다.
환경 보전의 의무	제35조 ① 모든 국민은 건강하고 쾌적한 환경에서 생활할 권리를 가지며, 국가와 국민은 환경 보전을 위하여 노력하여야 한다.

▶ 헌법은 국민의 기본권을 보장하는 동시에 국민으로서 가져야 하는 의무도 정해 놓았습니다.

자료 2 권리와 의무가 충돌한 사례

문제 상황

○○시는 멸종 위기종이 발견된 지역을 생태 보호 지역으로 지정할 계획을 세우고 그 인근의 땅을 개발하지 못하도록 제한했습니다. 이 과정에서 땅 주인과 ○○시 사이에 의견이 충돌하고 있습니다.

땅 주인

이곳은 제 땅입니다. 개인의 땅을 개발하지 못하게 하는 것은 자유권을 침해한다고 생각해요.

○○시 관계자

환경을 지켜야 할 책임과 의무는 우리 모두에게 있어요. 멸종 위기에 처한 동물을 보호하려면 이 지역을 생태 보호 지역으로 지정해야 해요.

땅 주인이 자신의 권리만 주장할 경우	그 지역에 살고 있는 멸종 위기 동물이 사라질 위험에 처하게 될 것임.
○○시가 땅 주인에게 의무만 주장할 경우	• 땅 주인은 자신의 재산을 사용할 수 있는 권리를 침해받게 될 것임. • 땅 주인은 행복한 삶을 누리지 못할 수도 있음.

1

(국방 , 환경 보전)의 의무는 모든 국민이 나와 가족, 우리 모두의 안전을 위해 나라를 지킬 의무가 있다는 내용입니다.

2

(   )을/를 내야 할 의무가 있다는 것은 납세의 의무입니다.

3

자신과 타인의 기본권 보호를 위해서는 그에 따른 (   )와/과 의무가 따릅니다.

4

우리가 행복하게 살아가려면 헌법에 나타난 권리를 보장하고 (   )을/를 실천하는 것이 모두 필요합니다.

5

헌법에 나타난 권리만을 강조하는 것이 바람직한 태도입니다.

(○ , ×)

[1-2] 다음 보기 를 보고, 물음에 답하시오.

┌─ 보기 ●──────────────────────
│ ㉠ 국방의 의무   ㉡ 근로의 의무
│ ㉢ 납세의 의무   ㉣ 환경 보전의 의무
└──────────────────────────

1 ➕ 11종 공통

다음 내용에 해당하는 의무의 종류를 보기 에서 골라 기호를 쓰시오.

┌──────────────────────────
│ • 부모님이 세금을 납부하십니다.
│ • 세금으로 학교, 지하철 등을 만들고 유지합니다.
└──────────────────────────

(   )

2 ➕ 11종 공통

다음에서 설명하는 의무의 종류를 보기 에서 골라 기호를 쓰시오.

┌──────────────────────────
│ 모든 국민은 개인과 나라의 발전을 위해 일할 의무가 있습니다.
└──────────────────────────

(   )

3 ➕ 11종 공통

다음 사진과 관련된 의무의 종류를 보기 에서 골라 기호를 쓰시오.

나와 가족, 우리 모두의 안전을 위해 나라를 지켜요.

(   )

4 ➕ 11종 공통

다음 헌법 조항과 관련된 국민의 의무는 무엇인지 쓰시오.

┌──────────────────────────
│ 제31조 ② 모든 국민은 그 보호하는 자녀에게 적어
│   도 초등 교육과 법률이 정하는 교육을 받게
│   할 의무를 진다.
└──────────────────────────

(   )

5 ➕ 11종 공통

일상생활에서 환경 보전의 의무를 실천하는 모습은 어느 것입니까? (   )

6 ➕ 11종 공통

다음 (   ) 안에 공통으로 들어갈 말을 쓰시오.

┌──────────────────────────
│ • 자신과 타인의 기본권 보호를 위해서는 그에 따른
│   책임과 (   )이/가 따릅니다.
│ • (   )을/를 실천하는 일은 나뿐만 아니라 다
│   른 사람의 기본권을 보장해 주는 바탕이 됩니다.
└──────────────────────────

(   )

[7-8] 다음 글을 읽고, 물음에 답하시오.

> 다양한 사람들이 함께 살아가는 사회에서 (㉠)와/과 (㉡)은/는 서로의 입장에 따라 종종 충돌할 때가 있습니다. 우리가 행복하게 살아가려면 헌법에 나타난 (㉠)을/를 보장하고 (㉡)을/를 실천하는 것이 모두 필요합니다.

7 ➕ 11종 공통

위의 ㉠, ㉡에 들어갈 알맞은 말을 각각 쓰시오.

㉠ (   ), ㉡ (   )

8 서술형 ➕ 11종 공통

위의 ㉠과 ㉡이 충돌할 때 문제를 해결하기 위한 바람직한 태도는 무엇인지 쓰시오.

_____

_____

9 ➕ 11종 공통

다음 글을 읽고, 인터넷 게임 셧다운제를 찬성하는 입장에서 강조하는 권리를 골라 ○표 하시오.

> ○○신문   20△△년 △△월 △△일
>
> 인터넷 이용이 보편화되면서 인터넷 게임 중독이 사회적으로 문제가 되고 있다. 우리나라는 청소년이 건강하게 성장할 권리를 보호하려고 인터넷 게임 셧다운제를 시행하고 있다. 이것은 16세 미만의 청소년이 오전 0시부터 오전 6시까지 인터넷 게임을 할 수 없게 금지하는 제도이다.

(1) 청소년이 건강하게 성장할 권리   (   )
(2) 청소년이 자유롭게 행동할 권리   (   )

[10-12] 다음 글을 읽고, 물음에 답하시오.

> ○○시는 멸종 위기종이 발견된 지역을 생태 보호 지역으로 지정할 계획을 세우고 그 인근의 땅을 개발하지 못하도록 제한했습니다. 이 과정에서 땅 주인과 ○○시 사이에 의견이 충돌하고 있습니다.

10 아이스크림, 천재교육 외

윗글에서 땅 주인과 ○○시 관계자가 각각 주장하고 있는 것을 선으로 알맞게 연결하시오.

(1) 땅 주인   •

(2) ○○시 관계자   •

• ㉠ 환경을 보호해야 하는 의무

• ㉡ 자신의 재산을 자유롭게 사용할 수 있는 권리

11 아이스크림, 천재교육 외

위와 같이 땅 주인과 ○○시의 의견이 서로 충돌하는 까닭을 알맞게 말한 사람을 골라 ○표 하시오.

(1) 권리와 의무가 서로의 입장에 따라 어긋나고 있기 때문이에요.

(   )

(2) ○○시가 자유권과 평등권을 양보했기 때문이에요.

(   )

12 서술형 아이스크림, 천재교육 외

땅 주인에게 ○○시가 의무만을 주장할 경우의 문제점을 쓰시오.

_____

_____

2 단원

개념 강의

3 법의 의미와 역할 (1)

1 법의 의미 알아보기

① **사회 규범**: 사람들이 더불어 살아가기 위해 서로 지켜야 할 약속이나 규칙입니다. ➕ → 사회 규범에는 도덕, 법 등이 있어요.

② **법의 의미와 특징**

의미	사회 질서를 유지하고 정의를 실현하기 위해 국가가 만든 사회 규범 ➕
특징	• 법은 모든 사회 구성원이 반드시 따라야 하는 강제성이 있어서 법을 어겼을 때는 제재를 받음. • 법은 사람들이 사회생활에서 지켜야 할 행동 기준으로 일상생활과 밀접하게 관련되어 있음. 자료 1 • 법이 사회의 변화에 맞지 않거나 인권을 침해할 때는 법을 바꾸거나 다시 만들 수 있음. 자료 2

2 다른 규범과 법 비교하기

① **도덕**: 사람들이 양심에 따라 마땅히 지켜야 할 사회 규범입니다.

② **도덕과 법의 성격** 자료 3 → 법은 지키지 않았을 때 제재를 받는다는 점에서 사람들이 자율적으로 지키는 도덕과 구별돼요.

도덕	• 도덕을 지키지 않으면 주위 사람들의 따가운 시선을 받지만 벌을 받지는 않음. • 도덕은 양심상 자율적으로 지키는 것임.
법	• 법을 지키지 않았을 때 제재를 받음. • 법은 누구나 무조건 지켜야 하는 강제성이 있음.

③ **법으로 제재를 받는 상황과 그렇지 않은 상황**

법으로 제재를 받는 상황	• 교통 신호를 지키지 않는 것 • 돈을 내지 않고 가게의 물건을 가져가는 것 • 인터넷에서 악성 댓글을 쓰는 것 • 다른 사람의 돈을 빌려 가서 갚지 않는 것 • 인터넷에서 허락 없이 사진이나 프로그램을 내려받는 것 ➡ 벌금을 내거나 사회 봉사를 하고, 경찰에 잡혀갈 수도 있음.
법으로 제재를 받지 않는 상황	• 이웃 어른을 보고 인사하지 않는 것 • 형제나 남매끼리 다투는 것 • 버스에서 노약자에게 자리를 양보하지 않는 것 • 도서관에서 시끄럽게 떠드는 것 • 친구와의 약속 시간을 지키지 않는 것 ➡ 주위 사람들의 따가운 시선을 받지만 벌을 받지는 않음.

몰래 가져가야지.

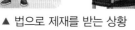
불법 다운로드

자는 척 해야지.

▲ 법으로 제재를 받는 상황   ▲ 법으로 제재를 받지 않는 상황

➕ **도로 위에서 지켜야 할 규칙**

• 지켜야 할 규칙: 안전띠 매기, 횡단보도에서는 자전거에서 내려 걷기, 초록불일 때 횡단보도 건너기 등
• 규칙을 지키지 않을 때: 도로가 혼란스러워지고 교통사고 등 위험이 발생할 수 있습니다. 자동차들이 운행하는 데 불편을 겪을 수 있습니다.

➕ **국가에서 법을 만든 까닭**

• 사회의 질서를 유지하기 위해서입니다.
• 국가에 속한 사람들의 안전을 지키기 위해서입니다.

용어 사전

● **강제성** 본인의 의사와는 관계없이 권력이나 힘을 이용해 원하지 않는 일을 억지로 시키는 것.
● **제재** 일정한 규칙이나 관습의 위반에 대하여 제한하거나 금지함.
● **악성 댓글** 인터넷 게시판에 올려진 내용에 대해 악의적인 평가를 하여 쓴 댓글.
● **벌금** 규칙을 지키지 않았을 때 벌로 내게 하는 돈.

자료 1 우리 생활 속에서 법을 지키는 모습

차에 타면 반드시 안전띠를 맴.	어린이 보호 구역에서 속도를 지킴.	재활용품을 버릴 때 분리배출함.

자료 2 변화하는 법의 모습

전동 킥보드를 타는 사람들이 많아지고, 전동 킥보드 사고가 늘어났습니다.

↓

전동 킥보드를 탈 때는 안전모를 쓰고 혼자 타야 하고, 면허가 있어야 탈 수 있도록 법이 바뀌었습니다.

▶ 전동 킥보드를 타는 사람이 많아지고, 사고도 늘어서 이와 관련하여 법이 바뀌었습니다. 이렇게 법은 고정된 것이 아니라 사회 변화에 따라 새로운 법이 생길 수도 있고, 원래 있던 법이 바뀌거나 없어질 수도 있습니다.

자료 3 도덕과 법의 구분

도덕	 지하철에서 임산부 배려석을 임산부에게 양보하는 것	 무거운 짐을 들고 있는 사람을 도와 짐을 함께 들어 주는 것
법	 신호등이 초록불일 때 횡단보도를 건너는 것	 외출 시에 반려견에 목줄을 하는 것

1

(   )은/는 국가가 만든 강제성이 있는 사회 규범입니다.

2

법을 어겼을 때에는 (   )을/를 받습니다.

3

법이 사회의 변화에 맞지 않거나 인권을 침해할 때는 법을 바꾸거나 다시 만들 수 있습니다.

(○ , ×)

4

사람들이 양심에 따라 마땅히 지켜야 할 사회 규범을 (   )(이)라고 합니다.

5

도덕을 지키지 않았을 때에는 벌금을 내거나 벌을 받을 수 있습니다.

(○ , ×)

3 법의 의미와 역할 (1)

1 아이스크림, 천재교육 외

도로에서 지켜야 하는 규칙으로 알맞지 <u>않은</u> 것은 어느 것입니까? (   )

① 안전띠 매기
② 자동차는 정지선 지키기
③ 초록불일 때 횡단보도 건너기
④ 차도에 내려가 택시 기다리기
⑤ 횡단보도에서는 자전거에서 내려서 걷기

2 아이스크림, 천재교육 외

사람들이 위 **1**번과 같은 규칙을 지키지 않을 때 벌어질 수 있는 일에 모두 ○표 하시오.

(1) 목적지까지 빠르고 안전하게 갈 수 있습니다.

(   )

(2) 자동차들이 운행하는 데 불편을 겪을 수 있습니다.

(   )

(3) 도로가 혼란스러워지고 교통사고 등의 위험이 발생할 수 있습니다.

(   )

3 ➕ 11종 공통

다음에서 설명하는 것은 무엇인지 쓰시오.

> 사회 질서를 유지하고 정의를 실현하기 위해 국가가 만든 강제성이 있는 규칙입니다.

(   )

4 ➕ 11종 공통

다음 보기 에서 법에 대한 설명으로 옳은 것을 모두 골라 기호를 쓰시오.

─ 보기 ●─
㉠ 어겼을 때는 제재를 받는다.
㉡ 법을 바꾸거나 다시 만들 수도 있다.
㉢ 학교에서 만든 강제성이 있는 규칙이다.
㉣ 사람들이 사회생활에서 지켜야 할 행동 기준이다.

(   )

5 서술형 ➕ 11종 공통

법을 바꾸거나 다시 만들 수 있는 경우를 쓰시오.

_____

_____

6 ➕ 11종 공통

우리 생활 속에서 법을 잘 지키고 있는 친구를 골라 ○표 하시오.

(1)
차에 타면 안전띠를 매.

(2)
친구의 물건을 몰래 가져왔어.

(   )   (   )

7 ⊕ 11종 공통

법을 어겼을 때 제재를 받는 까닭을 알맞게 설명한 친구를 두 명 고르시오. (,   )

① 소이: 자율적으로 지키는 것이기 때문이야.

② 나영: 양심상 지켜야 하는 것이기 때문이야.

③ 세정: 누구나 무조건 지켜야 하는 것이기 때문이야.

④ 해빈: 지키지 않아도 다른 사람들에게 피해를 주지 않기 때문이야.

⑤ 미나: 모든 사회 구성원들이 반드시 따라야 하는 강제성이 있기 때문이야.

8 ⊕ 11종 공통

다음에서 설명하는 것은 무엇인지 쓰시오.

사회의 구성원들이 양심에 비추어 스스로 마땅히 지켜야 할 사회 규범입니다.

(   )

9 ⊕ 11종 공통

다음 ㉠, ㉡에 들어갈 알맞은 말에 ○표 하시오.

㉠ (법 , 도덕)은 지키지 않았을 때 제재를 받지만 ㉡ (법 , 도덕)은 지키지 않아도 달리 제재를 받지 않습니다.

10 ⊕ 11종 공통

법이 도덕과 같은 다른 사회 규범과 구별되는 점으로 알맞은 것은 어느 것입니까? (   )

① 자연적으로 생겨났다.

② 사람들이 자율적으로 지킨다.

③ 사회 질서를 혼란스럽게 한다.

④ 지키지 않았을 때 제재를 받는다.

⑤ 모든 사회 구성원에게 적용되지 않는다.

11 금성출판사, 아이스크림 외

다음 보기 를 법으로 제재를 받는 상황과 받지 않는 상황으로 구분하여 각각 기호를 쓰시오.

보기

㉠ ▲ 이웃 어른을 보고 인사를 하지 않는 것

㉡ ▲ 돈을 내지 않고 가게의 물건을 가져가는 것

㉢ ▲ 버스에서 노약자에게 자리를 양보하지 않는 것

㉣ ▲ 허락받지 않은 프로그램을 내려받는 것

(1) 법으로 제재를 받는 상황:

(   )

(2) 법으로 제재를 받지 않는 상황:

(   )

12 서술형 ⊕ 11종 공통

위 **11**번에서 제시된 상황 이외에 일상생활에서 법으로 제재를 받는 상황을 한 가지만 쓰시오.

_____

_____

3 법의 의미와 역할 (2)

1 우리 생활 속의 법

① 일상생활과 법 +

• 법은 가정과 학교 등을 비롯해 일상생활 곳곳에서 적용되고 있으며, 우리 사회의 많은 일들이 법에 따라 이루어지고 있습니다.
• 법은 우리의 권리를 보호해 주면서 사람들이 안심하고 살 수 있도록 도와줍니다.

② 우리 생활에 적용되는 법 [자료1] → 우리는 일상생활에서 법을 지키고 법의 보호를 받아요.

「저작권법」	음악, 영화, 출판물 등 창작물을 만든 사람의 저작권을 보호하는 법
「어린이 놀이 시설 안전 관리법」	어린이가 안전하게 놀 수 있도록 놀이 시설을 정기적으로 관리함.
「도로 교통법」	도로에서 안전하게 다닐 수 있도록 만든 법
「초·중등 교육법」	모든 국민은 일정한 나이가 되면 초등학교에 다니도록 정함.
「학교 급식법」	학생들의 건강과 성장을 위해 안전하고 영양가 높은 음식 재료를 사용하도록 보장함.
「어린이 식생활 안전 관리 특별법」	학교와 학교 주변에서 어린이의 건강을 해치는 식품과 불량 식품 등의 판매를 금지하는 법
「학교 폭력 예방 및 대책에 관한 법률」	학생들 사이에 발생하는 폭력을 예방하며 그 피해를 해결해 주는 법
「소비자 기본법」	소비자의 권리와 이익을 보호하려고 만든 법
「자연환경 보전법」	자연환경을 깨끗이 보전하여 국민의 건강한 생활을 보장하기 위한 법

▲ 「저작권법」　　▲ 「어린이 놀이 시설 안전 관리법」　　▲ 「어린이 식생활 안전 관리 특별법」

2 법의 역할 알아보기

① 법의 필요성 +

• 개인의 권리를 보호하고, 사회 질서를 유지하기 위해서입니다.
• 문제가 발생했을 때 옳고 그름을 판단하는 기준이 필요하기 때문입니다.

② 법의 역할 [자료2]

개인의 권리 보호	• 개인의 생명과 재산을 보호해 안정된 삶을 살 수 있게 함. • 분쟁을 해결하고, 권리가 침해되었을 때 구제받을 수 있도록 함.
사회 질서 유지	• 사고나 범죄로부터 사람들을 보호하고 안전하게 지켜 줌. • 사람들이 안전하고 쾌적한 환경에서 살아갈 수 있게 해 줌.

+ **일상생활에서 받는 법의 보호** 예 태어나면서 학교에 갈 때까지

아이가 태어나면 출생 신고를 합니다.

법에 따라 무료로 예방 접종을 받습니다.

국가의 지원을 받아 어린이집이나 유치원을 다닙니다.

학교에 입학하여 안전한 환경에서 공부를 합니다.

+ **법이 없다면 발생할 수 있는 일**

• 개인의 생명이나 재산을 보호해 주는 법이 없다면: 불이 나서 사람이 다치거나 죽어도 도움을 받기 어렵습니다.
• 개인 정보를 보호해 주는 법이 없다면: 나의 개인 정보가 다른 사람에게 함부로 알려질 수 있습니다.

용어 사전

● **저작권** 생각과 감정을 표현한 창작물에 대하여 그것을 만든 사람이 가지는 권리.
● **분쟁** 말썽을 일으키어 시끄럽고 복잡하게 다툼.
● **구제** 자연재해나 사회적인 피해를 당하여 어려운 처지에 있는 사람을 도와줌.

자료 1 일상생활 곳곳에서 적용되는 법의 사례

「초·중등 교육법」학교에 가서 수업을 듣습니다.

「학교 급식법」점심 시간에 건강한 음식 재료로 만든 급식을 먹습니다.

「도로 교통법」교통사고의 위험 없이 안전하게 집으로 갑니다.

「저작권법」좋아하는 만화 영화를 합법적으로 내려받아 봅니다.

자료 2 법의 역할

[개인의 권리 보호]

화재 등 위험으로부터 개인의 생명과 재산을 보호해 줌.

자유와 권리가 침해되지 않도록 개인 정보를 보호해 줌.

개인 간에 발생한 분쟁을 재판으로 해결해 줌.

[사회 질서 유지]

도로의 교통질서를 유지하여 교통사고를 예방해 줌.

사건 사고나 범죄로부터 안전하게 지켜 줌.

깨끗한 환경에서 살 수 있도록 환경을 보호해 줌.

● 정답과 풀이 19쪽

1

법은 가정, 학교 등 일상생활 곳곳에 적용됩니다.

(○ , ×)

2

「도로 교통법」은 (　　　　　)에서 안전하게 다닐 수 있도록 만든 법입니다.

3

「소비자 기본법」은 음악, 영화, 출판물 등 창작물을 만든 사람의 저작권을 보호하는 법입니다.

(○ , ×)

4

법은 생명과 재산 등을 보호하여 개인의 (　　　　　)을/를 보호하는 역할을 합니다.

5

법은 사고나 범죄로부터 사람들을 (보호 , 방치)하고 안전하게 살아갈 수 있게 해 줍니다.

3 법의 의미와 역할 (2)

1 아이스크림, 지학사 등

다음 보기 에서 우리 생활에 적용되는 법의 사례가 **아닌** 것을 골라 기호를 쓰시오.

> 보기
> ㉠ 아이가 태어나면 출생 신고를 하는 것
> ㉡ 일정한 나이가 되면 학교에 입학하는 것
> ㉢ 동생과 말다툼을 한 후 서로 화해를 하는 것

( )

2 아이스크림, 천재교육 외

음악, 영화, 출판물 등 창작물을 만든 사람의 권리를 보호하기 위한 법은 어느 것입니까? ( )

① 「저작권법」
② 「장애인 차별 금지법」
③ 「어린이 놀이 시설 안전 관리법」
④ 「어린이 식생활 안전 관리 특별법」
⑤ 「학교 폭력 예방 및 대책에 관한 법률」

3 미래엔, 아이스크림 외

다음 법에 대한 설명을 선으로 알맞게 연결하시오.

(1) 「도로 교통법」 •

• ㉠ 어린이 놀이 시설을 정기적으로 관리하는 법

(2) 「어린이 놀이 시설 안전 관리법」 •

• ㉡ 도로에서 안전하게 다닐 수 있도록 만든 법

4 금성출판사, 천재교육 외

다음 일생생활 모습과 관련된 법을 보기 에서 골라 기호를 쓰시오.

일정한 나이가 되면 학교에 다녀요.

> 보기
> ㉠ 「학교 급식법」   ㉡ 「소비자 기본법」
> ㉢ 「초·중등 교육법」   ㉣ 「자연환경 보전법」

( )

5 ➕ 11종 공통

다음은 우리 생활에 적용되는 다양한 법에 대한 설명입니다. 알맞지 **않은** 것을 골라 기호를 쓰시오.

> 법은 ㉠ 가정과 학교 등을 비롯해 일상생활 곳곳에서 적용되고 있으며, ㉡ 우리 사회의 많은 일들이 법에 따라 이루어지고 있습니다. 법은 ㉢ 사람들이 안심하고 살 수 있도록 도와주지만 ㉣ 우리의 권리를 침해해 피해를 주기도 합니다.

( )

6 ➕ 11종 공통

우리 생활에서 법이 필요한 까닭으로 옳지 **않은** 것은 어느 것입니까? ( )

① 사회 질서를 유지하기 위해서
② 범죄를 저지르지 못하게 하기 위해서
③ 개인의 생명이나 재산을 보호하기 위해서
④ 경제적으로 어려운 사람에게 더 적은 돈을 주기 위해서
⑤ 환경을 보호하고 쾌적한 환경에서 살아갈 수 있게 하기 위해서

7 ➕ 11종 공통

다음과 같은 법이 없을 때 발생할 수 있는 일에 ○표 하시오.

> 소방관이 위험에 처한 사람을 구조해 줍니다.

⑴ 우리가 살아가는 환경이 오염되고 불쾌함을 느낄 수 있습니다. ( )

⑵ 불이 나서 사람이 다치거나 죽어도 도움을 받기 어렵습니다. ( )

⑶ 나의 개인 정보가 다른 사람에게 알려져 범죄에 이용될 수 있습니다. ( )

8 ➕ 11종 공통

다음 ( ) 안에 들어갈 알맞은 말을 쓰시오.

> 우리는 살아가면서 개인의 권리를 제대로 보호받지 못하는 경우가 있습니다. 이때 ( )이/가 생명이나 재산 등을 보호해 우리는 안정된 삶을 살 수 있습니다.

( )

9 서술형 ➕ 11종 공통

다음과 같은 상황에서 종업원이 정당한 대가를 받기 위해서 할 일을 법과 관련하여 쓰시오.

장사가 잘 안 되었으니 이 정도만 받아.

약속한 만큼이 아니잖아요.

음식점 주인 ← → 음식점 종업원

10 ➕ 11종 공통

다음 보기 에서 법이 개인의 권리를 보호하고 있음을 보여 주는 사례가 <u>아닌</u> 것을 골라 기호를 쓰시오.

> 보기
> ㉠ 개인 정보를 보호해 준다.
> ㉡ 급할 경우에 무단 횡단을 할 수 있는 권리를 보호한다.
> ㉢ 위험에 처한 사람을 구조하여 개인의 생명을 보호해 준다.

( )

11 비상교육, 천재교과서 외

오른쪽 사진을 통해 알 수 있는 법의 역할로 알맞은 것은 어느 것입니까? ( )

① 환경을 보호한다.
② 교통질서를 유지해 준다.
③ 범죄로부터 사람들을 보호한다.
④ 개인의 재산을 안전하게 지켜 준다.
⑤ 개인 간에 발생한 분쟁을 해결해 준다.

12 서술형 ➕ 11종 공통

다음 일기를 통해 알 수 있는 법의 역할을 쓰시오.

> 20○○년 ○○월 ○○일 날씨: 맑음
>
> 엄마와 함께 시장 나들이를 갔다. 시장 구경을 하던 중 갑자기 어떤 사람이 다가와 엄마의 가방을 훔쳐서 달아났다. 다행히 근처에 계시던 경찰관 아저씨가 달려가서 가방을 찾아 주셨다. 경찰관 아저씨는 가방을 훔친 사람은 법에 따라 벌을 받을 것이라고 하셨다.

3 법의 의미와 역할 (3)

1 법을 지키지 않을 때 일어날 문제점

① **법을 어기는 행동이 미치는 영향**: 다른 사람에게 피해를 주고 다른 사람의 권리를 침해하여 사람들 간의 갈등을 유발합니다.

② 법을 지키지 않을 때 발생할 수 있는 문제점

법을 어기는 행동	발생할 수 있는 문제점
 소방차 전용 주차 구역에 불법 주차를 함.	 불이 났을 때 소방차가 들어오지 못해 피해가 커짐.
 반려견이 길에서 용변을 보았는데 치우지 않고 모른 척함.	 냄새가 나고, 배설물을 밟아 넘어질 수 있음.
 폐수 처리 비용을 아끼려고 공장의 폐수를 몰래 인근 하수구에 흘려보냄.	 하천의 동식물이 죽고 생태계가 파괴됨.

③ **법을 어긴 행동에 대해서 재판하기** ➕ 자료 1

- 법은 개인의 권리를 보호하지만, 법을 지키지 않아 타인에게 피해를 준 사람에게는 재판을 통해 그 권리를 제한하기도 합니다.
- 재판을 하는 까닭: 그 사람이 정말로 죄를 지었는지 확인하고, 법을 어긴 행동에 맞는 책임을 지게 하기 위해서입니다.

2 법을 잘 지켜야 하는 까닭 ➕ 자료 2

① 법을 어기면 다른 사람의 권리를 침해하기 때문입니다.
② 개인의 권리를 보호하고 사회 질서를 유지하기 위해서입니다.
③ 법을 지키지 않으면 사회 질서가 유지될 수 없기 때문입니다.
④ 법을 지키면 다른 사람의 권리를 보호하고 나의 권리도 보호하기 때문입니다.

➕ **재판에 참여하는 사람들의 역할**

판사	재판을 진행하고 법에 따라 판결을 내리는 사람
피고인	범죄를 저지른 것으로 의심이 되어 재판을 받는 사람
검사	법을 위반한 점에 대해 심판을 요청하는 사람
변호인	피고인을 대신해 권리를 주장하는 사람

➕ **법을 잘 지키기 위해 지녀야 하는 바람직한 태도**

- 나만 생각하지 않고 다른 사람을 배려합니다.
- 사소한 규칙이라도 잘 지키려고 노력합니다.
- 법을 잘 알고 지킬 수 있도록 관심을 기울입니다.

용어 사전

- **폐수** 공장 등에서 쓰고 난 뒤에 버리는 더러운 물.
- **생태계** 생물이 살아가는 세계.
- **재판** 법적으로 옳고 그름을 따져 법관이 판단을 내리는 일.
- **위반** 법률에서 범죄를 저질렀을 가능이 있다고 봄. 또는 그런 가능성.

● 정답과 풀이 20쪽

자료1 법을 어긴 사례의 모의재판 예 인터넷 만화 불법 유포 사건

[사례]

　김만화씨는 ○○○ 누리집과 계약을 맺고 만화를 연재했습니다. 김불법씨는 인터넷에 올라와 있는 김만화씨의 만화를 불법으로 △△△ 누리집에 올렸습니다. 이 때문에 ○○○ 누리집 김만화씨의 조회 수가 낮았고 김만화씨의 수입도 줄어들었습니다.

[모의재판하기]

• 판사: 지금부터 피고인 김불법씨에 대한 재판을 시작하겠습니다.
• 검사: 피고인 김불법씨는 202◇년 ◇◇월 ◇◇일에 김만화씨의 만화를 불법으로 △△△ 누리집에 올려 김만화씨의 저작권을 침해했습니다.
• 변호인: 이 만화는 김불법씨가 유포하기 전에 이미 여러 누리집에 올라와 있었습니다. 김만화씨의 피해가 전부 피고인 때문은 아닙니다.
• 검사: 피고인이 활동한 누리집은 국내 최대 규모이며, 이곳에서 불법 다운로드가 가장 많이 이루어졌습니다. △△△ 누리집 방문자 수 등이 담긴 자료를 증거로 제출합니다.
• 판사: 마지막으로 검사와 변호인 측은 최종 의견을 말씀해 주십시오.
• 검사: 피고인을 벌금 1,000만 원에 처해 주시기 바랍니다.
• 변호인: 판사님, 피고인이 자신의 잘못을 진지하게 반성하고 있으니 이점을 고려해 주시기 바랍니다.

[최종 판결]

　검사가 제출한 증거에 비추어 보면, 피고인이 △△△ 누리집에 만화를 불법으로 올린 행동은 김만화씨의 저작권을 침해한 것이므로 유죄임을 인정한다. 그러나 피고인이 잘못을 반성하고 있는 점을 고려해 피고인을 벌금 500만 원에 처한다.

자료2 법을 잘 지키고 있는지 나의 생활 되돌아보기

| 길거리에 쓰레기를 함부로 버림. | 다른 사람의 물건을 몰래 가져감. | 인터넷에서 남을 비하하는 댓글을 남김. |

▶ 위의 행동은 모두 법을 어긴 행동입니다. 이러한 행동을 했다면 반성하고, 법을 잘 지키는 준법 생활을 실천하도록 해야 합니다.

1

법을 어기는 행동은 사람들 간의 (갈등 , 화합)을 유발합니다.

2

소방차 전용 구역에 불법 주차를 해도 불이 났을 때 피해가 생기지 않습니다.

(○ , ×)

3

법을 어겼을 때 (　　　　　)을/를 해 타인에게 피해를 준 사람의 권리를 제한하기도 합니다.

4

법을 어기면 다른 사람의 권리를 침해할 수 있습니다.

(○ , ×)

5

법을 (지키면 , 지키지 않으면) 사회 질서가 유지될 수 없습니다.

3 법의 의미와 역할 (3)

1 ➕ 11종 공통

법을 지키지 않을 때 우리 생활에 발생하는 문제점으로 옳으면 ○표, 옳지 않으면 ×표 하시오.

(1) 사람들 간의 갈등을 유발합니다. ( )

(2) 나와 다른 사람의 권리를 보장합니다. ( )

2 아이스크림, 천재교육 외

다음과 같은 행동으로 발생할 수 있는 문제점을 두 가지 고르시오. (,)

> 반려견이 길에서 용변을 보았는데 모른 척하고 지나갔습니다.

① 교통 체증이 발생한다.

② 교통사고가 늘어나게 된다.

③ 배설물 때문에 냄새가 난다.

④ 소음으로 이웃 간 다툼이 발생한다.

⑤ 지나가는 사람이 배설물을 밟고 넘어져 다칠 수 있다.

3 미래엔, 비상교육 외

다음과 같은 행동으로 인해 생길 수 있는 일을 보기에서 골라 기호를 쓰시오.

보기

ㄱ 주차할 공간이 많아질 것이다.

ㄴ 골목을 지나다니기가 편리해질 것이다.

ㄷ 위급한 상황이 생겨 구급차나 소방차가 출동할 때 방해가 되어 제대로 된 구조 활동을 벌일 수 없을 것이다.

( )

4 서술형 비상교육, 아이스크림 외

다음과 같은 행동을 했을 때 일어날 수 있는 일을 쓰시오.

> 돈이 많이 드니까 그냥 버려야지.

_____

_____

5 ➕ 11종 공통

다음 ( ) 안에 들어갈 알맞은 말은 어느 것입니까? ( )

> 법은 개인의 권리를 보장해 주지만 법을 지키지 않을 때는 ( )을/를 통해 타인에게 피해를 준 사람의 권리를 제한하기도 합니다.

① 타협　　② 재판　　③ 설득

④ 대화　　⑤ 토론

6 ➕ 11종 공통

법을 어긴 사람을 재판하는 까닭을 옳게 말한 친구를 모두 골라 이름을 쓰시오.

> • 새롬: 자신의 행동에 맞는 책임을 지게 하기 위해서야.
> • 지원: 그 사람이 정말로 죄를 지었는지 확인하기 위해서야.
> • 재환: 법을 어긴 사람의 자유와 권리를 보장해 주기 위해서야.

( )

7 미래엔, 아이스크림 외

재판에 참여하는 사람과 그 역할을 선으로 알맞게 연결하시오.

(1) 검사 •

(2) 변호인 •

• ㉠ 피고인을 대신해 권리를 주장함.

• ㉡ 법을 위반한 점에 대한 심판을 요청함.

[8-9] 다음은 모의재판의 일부입니다. 물음에 답하시오.

• 판사: 지금부터 피고인 김불법씨에 대한 재판을 시작하겠습니다.
• 검사: 피고인 김불법씨는 202◇년 ◇◇월 ◇◇일에 김만화씨의 만화를 불법으로 △△△ 누리집에 올려 김만화씨의 저작권을 침해했습니다.
• 변호인: 이 만화는 김불법씨가 유포하기 전에 이미 여러 누리집에 올라와 있었습니다.

8 미래엔, 천재교과서 외

위 모의재판에서 김불법씨가 어긴 법은 무엇입니까?
(   )

① 「저작권법」
② 「도로 교통법」
③ 「학교 급식법」
④ 「장애인 차별 금지법」
⑤ 「어린이 식생활 안전 관리 특별법」

9 미래엔, 천재교과서 외

위 모의재판에 대한 설명으로 옳은 것을 보기 에서 골라 기호를 쓰시오.

┌─ 보기 ──────────────
㉠ 재판에서 피고인은 김만화씨이다.
㉡ 변호사는 김만화씨의 권리를 대신하여 주장하고 있다.
㉢ 김불법씨가 정말로 법을 어겼는지 재판을 통해 가려내고 있다.
└────────────────

(   )

[10-11] 다음 그림을 보고, 물음에 답하시오.

㉠
아무 데나 버려야지.

㉡
초록불에 건너야지.

10 동아출판, 비상교육 외

위에서 법을 지키지 <u>않는</u> 모습을 골라 기호를 쓰시오.
(   )

11 서술형 동아출판, 비상교육 외

위 **10**번 답을 법을 지키는 모습으로 바꾸려면 어떻게 해야 하는지 쓰시오.

_____

_____

12 ➕ 11종 공통

법을 지켜야 하는 까닭으로 옳지 <u>않은</u> 것은 어느 것입니까? (   )

① 사회 질서를 유지하기 위해서
② 개인의 권리를 제한하기 위해서
③ 법을 지키지 않으면 벌을 받기 때문에
④ 다른 사람의 권리를 침해하지 않기 위해서
⑤ 많은 사람이 다 함께 행복하게 살기 위해서

2. 인권 존중과 정의로운 사회

❶ 인권을 존중하는 삶

1. 인권의 의미와 특성

① **인권의 의미**: 모든 사람이 인간다운 삶을 살아가기 위해 당연히 누려야 할 기본적 **❶** 를 말합니다.

② **인권의 특성**
- 모든 사람은 태어나면서부터 인간답게 살 권리가 있습니다.
- 인종, 국적, 성별, 종교 등과 관계없이 누구나 동등하게 누려야 하는 권리입니다.

2. 인권을 지키기 위한 우리의 노력과 태도

① 인권은 태어날 때부터 모든 사람에게 평등하게 보장되는 것이며 다른 사람이 힘이나 권력으로 함부로 빼앗을 수 없습니다.

② 모든 사람은 나와 똑같은 권리가 있으므로 다른 사람의 권리를 존중하는 태도가 중요합니다.

3. 인권 신장을 위해 노력했던 옛사람들의 활동

① 인권 신장을 위해 노력한 우리나라의 인물과 그 활동

허균	허균은 양반 신분이지만 가난한 백성의 편에 서서 신분 제도의 잘못된 점을 주장했음.
방정환	어린이를 위한 잡지와 **❷** 을 만드는 등 어린이의 인권 신장을 위해 노력함.

② 인권 신장을 위해 노력한 다른 나라의 인물과 그 활동

테레사 수녀	가난하고 아픈 사람들을 위해 평생을 바쳤으며, 버림받은 아이도 존중해야 한다고 생각했음.
❸	백인에게 차별받는 흑인의 인권을 신장하고자 노력했음.

4. 인권 보장을 위한 국가와 지방 자치 단체의 노력

공공 편의 시설 설치	국가와 지방 자치 단체는 모든 사람이 안전하고 편리할 수 있도록 다양한 공공 편의 시설을 설치하여 운영함.
사회 보장 제도 시행	국민이 빈곤, 질병, 생활 불안 등에서 벗어나 안정적으로 살 수 있도록 사회 보장 제도를 만들어 시행함.

❷ 인권 보장과 헌법

1. 헌법의 의미와 중요성

① **❹** 의 의미: 법 중에서 가장 기본이 되는 법으로, 우리나라 최고의 법입니다.

② **헌법에 담긴 내용**: 모든 국민이 존중받고 행복한 삶을 살아가는 데 필요한 내용을 담고 있습니다.

★ 생활 속에서 인권이 존중되는 모습

어린이가 안전하게 등하교할 수 있도록 학교 앞에 어린이 보호 구역을 지정합니다.

장애인이 편리하게 이동할 수 있도록 장애인 전용 주차 구역을 만듭니다.

임산부가 편하게 이동할 수 있도록 지하철이나 버스에 임산부 배려석을 설치합니다.

★ 인권 신장을 위한 옛날의 여러 제도

▲ 격쟁

▲ 신문고 제도

▲ 상언 제도

▲ 삼복제

2. 헌법에 나타난 국민의 기본권

종류	의미
평등권	법을 공평하게 적용받아 차별받지 않을 권리
자유권	자유롭게 생각하고 행동할 수 있는 권리
사회권	인간답게 살 수 있도록 국가에 요구할 수 있는 권리
참정권	국가의 정치 의사 형성 과정에 참여할 수 있는 권리
❺	기본권이 침해되었을 때 국가에 어떤 일을 해 달라고 요구할 수 있는 권리

3. 헌법에 나타난 국민의 의무

국방의 의무	모든 국민은 나와 가족, 우리 모두의 안전을 위해 나라를 지킬 의무가 있음.
❻ 의 의무	모든 국민은 세금을 내야 할 의무가 있음.
근로의 의무	모든 국민은 개인과 나라의 발전을 위해 일할 의무가 있음.
교육의 의무	모든 국민은 자녀가 잘 성장할 수 있도록 교육을 받게 할 의무가 있음.
환경 보전의 의무	모든 국민, 기업, 국가는 환경을 보전하기 위해 노력해야 할 의무가 있음.

❸ 법의 의미와 역할

1. 법의 의미와 특징

의미	사회 질서를 유지하고 정의를 실현하기 위해 **❼** 가 만든 사회 규범
특징	• 법은 반드시 지켜야 하며, 이를 어겼을 때는 제재를 받음. • 법이 사회의 변화에 맞지 않거나 인권을 침해할 때는 법을 바꾸거나 다시 만들 수 있음.

2. 도덕과 법 비교하기

도덕	도덕을 지키지 않으면 주위 사람들의 따가운 시선을 받지만 벌을 받지는 않음.
법	법을 지키지 않았을 때 제재를 받으며, 강제성이 있음.

3. 법의 역할

개인의 권리 보장	• 개인의 생명과 재산 등을 보호해 안정된 삶을 살 수 있게 함. • 개인의 권리가 침해되었을 때 법을 통해 구제받을 수 있도록 함.
사회 질서 유지	• 사고나 범죄로부터 사람들을 보호하고 안전하게 지켜 줌. • 사람들이 안전하고 쾌적한 환경에서 살아갈 수 있게 해 줌.

★ 국민의 기본권이 보장되는 모습

성별이나 장애에 차별 받지 않고 동등하게 교육받을 수 있어요.

▲ 평등권

원하는 직업을 자유롭게 선택할 수 있어요!

▲ 자유권

국회 의원 후보 기호 ○번

국민이 선거의 후보자로 출마할 수 있어요.

▲ 참정권

★ 도덕과 법의 구분

도덕

지하철에서 임산부 배려석을 임산부에게 양보합니다.

법

신호등이 초록불일 때 횡단보도를 건넙니다.

1 미래엔, 아이스크림 외

다음 (   ) 안에 공통으로 들어갈 말을 쓰시오.

> 제1조 모든 사람은 태어날 때부터 자유롭고, 존엄하며, 평등하다.
> 제2조 모든 사람은 인종, 피부색, 성, 언어, 종교 등 어떤 이유로도 차별받지 않는다.
>   …
> 제10조 모든 사람은 독립적이고 공평한 법정에서 공정하고 공개적인 재판을 받을 권리를 가진다.
>
> • (   )은/는 1948년에 국제 연합(UN) 총회에서 발표했습니다.
> • (   )은/는 인권의 의미와 내용이 담긴 30개의 조항으로 구성되어 있습니다.

(   )

2 서술형 ➕ 11종 공통

생활 속에서 인권이 존중되는 모습을 두 가지 쓰시오.

_____

_____

3 ➕ 11종 공통

허균이 쓴 책으로 신분에 따라 차별하는 당시의 사회 제도를 비판한 책은 무엇입니까? (   )

① 『심청전』   ② 『춘향전』
③ 『허생전』   ④ 『홍길동전』
⑤ 『장화홍련전』

4 ➕ 11종 공통

다음에서 설명하는 인권 신장을 위한 옛날의 제도는 무엇인지 쓰시오.

> 억울한 일을 당한 사람이 임금의 행차 때 징이나 꽹과리를 쳐서 임금에게 억울함을 호소할 수 있었습니다.

(   )

5 ➕ 11종 공통

다음은 어떤 사람들을 위해 설치한 공공 편의 시설입니까? (   )

▲ 점자 안내도

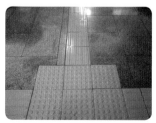
▲ 점자 블록

① 노인   ② 어린이
③ 외국인   ④ 시각 장애인
⑤ 청각 장애인

6 ➕ 11종 공통

다음 중 헌법에 담긴 내용이 <u>아닌</u> 것은 어느 것입니까? (   )

① 대한민국 국민이 누려야 할 권리
② 대한민국 국민이 지켜야 할 의무
③ 헌법을 만드는 데 쓰인 다른 법의 내용
④ 국가 기관을 조직하고 운영하는 기본 원칙
⑤ 모든 국민이 존중받고 행복한 삶을 살아가는 데 필요한 내용

7 ➕ 11종 공통

다음 (   ) 안에 공통으로 들어갈 말을 쓰시오.

○○신문   20△△년 △△월 △△일

인터넷 실명제 (   ) 간다.

'인터넷 실명제'는 인터넷 게시판에 글이나 댓글을 쓰려면 본인 확인 절차를 거치도록 하는 제도이다. 이 제도는 악성 댓글을 막고 성숙한 인터넷 문화를 만들기 위해 시행되었다.

그러나 인터넷 실명제에 반대하는 사람들은 이 제도가 표현의 자유를 침해한다며 (   )에 판단을 요청하였다.

▲ (   )

(   )

8 ➕ 11종 공통

헌법이 보장하는 국민의 기본권에 속하지 <u>않는</u> 것은 어느 것입니까? (   )

① 근로권   ② 사회권   ③ 자유권
④ 참정권   ⑤ 청구권

9 ➕ 11종 공통

다음 헌법 조항이 가리키는 국민의 의무를 실천하는 모습은 어느 것입니까? (   )

제38조 모든 국민은 법률이 정하는 바에 의하여 납세의 의무를 진다.

①
나라를 지켜요.

②
일터에 일을 하러 가요.

③
○○세무서
세금을 내러 가요.

④
환경을 가꿔요.

10 아이스크림, 천재교육 외

다음 뉴스를 보고, 땅 주인의 입장에서 의견을 말한 친구를 골라 이름을 쓰시오.

○○시는 멸종 위기종이 발견된 지역을 생태 보호 지역으로 지정할 계획을 세우고 그 인근의 땅을 개발하지 못하도록 제한했습니다. 이 과정에서 땅 주인과 ○○시 사이에 의견이 충돌하고 있습니다.

• 윤희: 헌법은 행복하게 살 수 있는 권리와 자유권을 보장하고 있어. 개인의 땅이니까 자신이 개발할 수 있는 권리가 있다고 생각해.
• 성민: 개인의 권리도 중요하지만 나는 환경을 보전해야 하는 의무를 먼저 생각해 봤으면 좋겠어.

(   )

11 ⊕ 11종 공통

다음 중 법에 대한 설명으로 옳은 것에 ○표 하시오.

(1) 법은 모든 사회 구성원에게 적용됩니다. (　　　)

(2) 법을 지키지 않았을 때는 제재를 받습니다.
(　　　)

(3) 법은 사회 변화에 맞지 않아도 바꿀 수 없습니다.
(　　　)

12 ⊕ 11종 공통

법으로 제재를 받는 상황이 <u>아닌</u> 것은 어느 것입니까? (　　　)

① 교통 신호를 지키지 않았다.
② 인터넷에 악성 댓글을 썼다.
③ 도서관에서 시끄럽게 떠들었다.
④ 가게에서 돈을 내지 않고 물건을 가져갔다.
⑤ 인터넷에서 허락 없이 프로그램을 내려받았다.

13 비상교육, 천재교육 외

다음에서 설명하는 것과 관련된 법은 무엇입니까?
(　　　)

> 학교와 학교 주변에서 어린이의 건강을 해치는 식품과 불량 식품 등의 판매를 금지하는 일

① 「저작권법」
② 「도로 교통법」
③ 「학교 급식법」
④ 「자연환경 보전법」
⑤ 「어린이 식생활 안전 관리 특별법」

14 서술형 ⊕ 11종 공통

다음은 개인 사이에 발생한 문제를 해결하기 위해 재판을 하는 모습입니다. 이와 관련된 법의 역할은 무엇인지 쓰시오.

_____

_____

15 미래엔, 비상교육 외

다음과 같은 행동을 했을 때 발생할 수 있는 문제점은 무엇입니까? (　　　)

▲ 소방차 전용 주차 구역에 불법 주차를 함.

① 주변에 쓰레기가 많아진다.
② 개인 정보가 유출될 수 있다.
③ 사고로 큰불이 날 수도 있다.
④ 불이 났을 때 소방차가 들어오지 못한다.
⑤ 같은 자동차를 산 사람이 손해를 보게 된다.

1 ✚ 11종 공통

다음에서 설명하는 것은 무엇인지 쓰시오.

- 모든 사람이 태어나면서부터 인간답게 살 권리를 말합니다.
- 인종, 국적, 성별, 종교, 언어, 나이, 신체적 특징 등과 관계없이 누구나 누려야 하는 권리를 말합니다.

( )

2 서술형 ✚ 11종 공통

오른쪽 사진의 인물이 인권 신장을 위해 노력한 일을 쓰시오.

▲ 방정환

_____

_____

3 ✚ 11종 공통

인권 신장을 위한 옛날의 제도와 설명을 선으로 알맞게 연결하시오.

(1) 상언
제도 •

• ㉠ 억울한 일이 있을 때 대궐 밖에 설치된 북을 쳐서 임금에게 알림.

(2) 신문고
제도 •

• ㉡ 신분과 관계없이 억울한 일을 문서에 써서 임금에게 호소함.

4 ✚ 11종 공통

몸이 불편한 사람의 인권 보장이 필요한 사례는 어느 것입니까? ( )

① 피부색이 다른 친구에게 편견을 가진다.
② 남자는 공기놀이를 하면 안 된다고 생각한다.
③ 망가진 놀이터가 고쳐지지 않고 방치되어 있다.
④ 친구의 허락 없이 사진을 누리 소통망 서비스(SNS)에 올린다.
⑤ 건물에 경사로가 없어 계단을 오르지 못해 원하는 곳에 갈 수 없다.

5 ✚ 11종 공통

다음 친구들이 설명하는 국가 기관은 무엇인지 쓰시오.

인권 침해가 발생하면 이를 조사하고 인권 침해를 당한 사람을 도와줘요.

국민의 인권 의식을 향상하고자 인권 교육과 홍보 활동을 벌여요.

( )

6 ✚ 11종 공통

다음 중 헌법에 대한 설명으로 옳은 것에 모두 ○표 하시오.

⑴ 여러 법을 바탕으로 헌법을 만들었습니다.

( )

⑵ 헌법은 법 중에서 가장 기본이 되는 법입니다.

( )

⑶ 헌법에서 제시한 국민의 권리는 국가가 함부로 침해할 수 없습니다. ( )

7 서술형 ✚ 11종 공통

인권 보장을 위해 헌법이 어떤 역할을 하는지 쓰시오.

_____

_____

8 ✚ 11종 공통

다음과 같은 헌법 조항과 관련 있는 기본권은 무엇입니까? ( )

> 제24조 모든 국민은 법률이 정하는 바에 의하여 선거권을 가진다.
> 제25조 모든 국민은 법률이 정하는 바에 의하여 공무 담임권을 가진다.

① 사회권 ② 자유권 ③ 참정권
④ 청구권 ⑤ 평등권

9 ✚ 11종 공통

다음 사례와 관련 있는 국민의 의무는 무엇입니까?

( )

친구들과 고장의 산을 가꾸기 위해 나무를 심습니다.

① 교육의 의무
② 국방의 의무
③ 근로의 의무
④ 환경 보전의 의무
⑤ 국적을 변경할 의무

10 이이스그림, 천재교육 외

다음 글을 읽고 땅 주인과 ○○시가 갖추어야 할 바람직한 태도를 보기 에서 골라 기호를 쓰시오.

> ○○시는 멸종 위기종이 발견된 지역을 생태 보호 지역으로 지정할 계획을 세우고 그 인근의 땅을 개발하지 못하도록 제한했습니다. 이 과정에서 땅 주인과 ○○시 사이에 의견이 충돌하고 있습니다.

보기 ●
㉠ 권리와 의무의 조화를 추구합니다.
㉡ 권리보다 의무를 더 중요하게 여깁니다.
㉢ 국민이 지켜야 하는 의무보다 국민이 누려야 할 권리를 우선시합니다.

( )

11 ✚ 11종 공통

다음 중 법으로 제재를 받지 <u>않는</u> 상황을 골라 ○표 하시오.

(1) 　　(2)

　　(　　　)　　　　　　　(　　　)

12 ✚ 11종 공통

다음 일상생활 모습과 관련된 창작물을 만든 사람의 권리를 보호하기 위한 법은 무엇입니까? (　　　　)

좋아하는 만화 영화를 합법적으로 내려받아 봅니다.

① 「저작권법」　　　　　② 「도로 교통법」
③ 「소비자 기본법」　　　④ 「자연환경 보존법」
⑤ 「어린이 놀이 시설 안전 관리법」

13 ✚ 11종 공통

우리 생활에서 법이 필요한 까닭으로 알맞지 <u>않은</u> 것은 어느 것입니까? (　　　)

① 사회 질서를 유지하기 위해서
② 개인의 생명을 보호하기 위해서
③ 개인의 재산을 보호하기 위해서
④ 다른 사람의 권리를 침해하기 위해서
⑤ 범죄로부터 사람들을 보호하기 위해서

14 미래엔, 아이스크림 외

재판에서 피고인을 대신해 권리를 주장하는 사람은 누구입니까? (　　　)

① 검사　　　　　② 판사　　　　　③ 변호인
④ 배심원　　　　⑤ 참고인

15 서술형 ✚ 11종 공통

우리가 법을 잘 지켜야 하는 까닭을 한 가지만 쓰시오.

_____

_____

| **평가 주제** | 인권 신장을 위한 옛날의 여러 제도 알아보기 |
| **평가 목표** | 인권 신장을 위한 옛날의 여러 제도에 담긴 의미를 설명할 수 있다. |

[1-3] 다음은 인권 신장을 위한 옛날의 여러 제도를 조사하여 정리한 표입니다. 물음에 답하시오.

제도	특징
(㉠)	억울한 일을 당한 사람이 임금의 행차 때 징이나 꽹과리를 쳐서 임금에게 억울함을 호소할 수 있었음.
신문고 제도	백성들은 억울한 일이 있을 때 대궐 밖에 설치된 북을 쳐서 임금에게 알릴 수 있었음.
상언 제도	신분과 관계없이 억울한 일을 문서에 써서 임금에게 호소할 수 있었음.
삼복제	사형과 같은 무거운 형벌을 내릴 때는 신분과 관계없이 세 번의 재판을 거치도록 했음.

1 위 표의 ㉠에 들어갈 알맞은 제도를 쓰시오.

( )

> **도움** 징이나 꽹과리를 친다는 의미를 가진 이름입니다.

2 다음은 위 표에 나타난 신문고 제도와 상언 제도를 만든 까닭에 대한 설명입니다. ( ) 안에 들어갈 알맞은 말을 쓰시오.

> 조선 시대에 신분이 높은 사람은 ( )을/를 올리거나 나라의 여러 기관에 자신의 억울함을 말할 수 있었지만 일반 백성들은 원통하고 억울한 일을 당해도 하소연하기 어려웠기 때문입니다.

( )

> **도움** 조선 시대에 신분이 높은 사람들은 다양한 방법으로 자신의 억울한 사정을 말할 수 있었습니다.

3 위 표에 나타난 삼복제를 통해 알 수 있는 우리 조상들의 생각을 쓰시오.

_____

_____

> **도움** 조선 시대에도 다양한 제도를 마련하여 백성들 모두의 인권 신장을 위해 노력하였습니다.

2. 인권 존중과 정의로운 사회

● 정답과 풀이 22쪽

2단원

평가 주제	헌법에 담긴 내용 알아보기
평가 목표	헌법에 담긴 국민의 기본권의 종류를 말할 수 있다.

[1-2] 다음은 헌법에 담긴 국민의 기본권을 정리한 표입니다. 물음에 답하시오.

평등권	자유권	(㉠)
 성별이나 장애에 차별받지 않고 동등하게 교육받을 수 있어요.	 원하는 직업을 자유롭게 선택할 수 있어요.	 깨끗한 환경에서 생활할 수 있어요.
법을 공평하게 적용받아 차별받지 않을 권리	자유롭게 생각하고 행동할 수 있는 권리	인간답게 살 수 있도록 국가에 요구할 수 있는 권리

참정권	(㉡)
 국회 의원 후보 기호 번 국민이 선거의 후보자로 출마할 수 있어요.	 억울한 일을 당하면 재판을 청구할 수 있어요. 접수 구청에 민원을 제기할 수 있어요.
국가의 정치 의사 형성 과정에 참여할 수 있는 권리	기본권이 침해되었을 때 국가에 어떤 일을 해 달라고 요구할 수 있는 권리

1 위 표의 ㉠, ㉡에 들어갈 알맞은 국민의 기본권의 종류를 쓰시오.

㉠ (   ), ㉡ (   )

> **도움** 기본권은 헌법으로 보장되는 국민의 기본적인 권리를 말합니다.

2 위의 표를 참고하여 헌법에는 어떠한 내용이 담겨 있는지 쓰시오.

_____

_____

> **도움** 헌법에는 국민의 자유와 권리가 보장되어 있습니다.

평가 주제   법의 성격 알아보기

평가 목표   도덕과 법의 특징을 비교하고 다른 규범과 다른 법의 성격을 설명할 수 있다.

[1-3] 다음 그림을 보고, 물음에 답하시오.

㉠ ▲ 노약자에게 자리를 양보하지 않는 것

㉡ ▲ 허락받지 않은 프로그램을 내려받는 것

㉢ ▲ 인터넷에서 악성 댓글을 다는 것

㉣ ▲ 돈을 내지 않고 가게의 물건을 가져가는 것

㉤ ▲ 이웃 어른을 보고 인사하지 않는 것

㉥ ▲ 도서관에서 시끄럽게 떠드는 것

1 위 ㉠~㉥ 중 벌을 받지는 않지만 주위 사람들의 따가운 시선을 받을 수 있는 상황을 세 가지 골라 기호를 쓰시오.

(   )

도움 지키지 않았을 때 법에 따라 제재를 받는지 아닌지 구분해 봅니다.

2 다음은 도덕과 법의 특징을 비교한 것입니다. ⑴, ⑵에 들어갈 알맞은 사회 규범을 쓰시오.

> (⑴   )와/과 같은 사회 규범은 개인의 양심에 따라 지켜야 하지만 (⑵   )은/는 누구나 지켜야 하는 행동 기준입니다.

도움 도덕과 법은 모든 사람들이 더불어 살아가기 위해 필요한 사회 규범입니다.

3 위 1, 2번 문제를 통해 알 수 있는 법의 성격을 한 가지만 쓰시오.

_____

_____

도움 법은 사회 질서를 유지하고 사람들의 안전을 지켜 주기 위해 만든 규범입니다.

백점

사회 5·1

평가북

- 묻고 답하기
- 중단원 평가, 대단원 평가
- 수행 평가

동아출판

평가북 구성과 특징

1 단원별 개념 정리가 있습니다.
- **묻고 답하기**: 단원의 핵심 내용을 묻고 답하기로 빠르게 정리할 수 있습니다.

2 단원별 다양한 평가가 있습니다.
- **중단원 평가, 대단원 평가, 수행 평가**: 다양한 유형의 문제를 풀어봄으로써 수시로 실시되는 학교 시험을 완벽하게 대비할 수 있습니다.

백점

BOOK 2 평가북

차례

사회 **5·1**

✏ 빈칸에 알맞은 답을 쓰세요.

1 우리 국토는 (   ) 대륙의 동쪽에 위치한 반도입니다.

2 우리 국토는 도로나 철도를 이용해 (   )(으)로 나아가기 유리합니다.

3 한 나라의 주권이 미치는 땅이나 바다, 하늘의 범위를 무엇이라고 합니까?

4 한 나라의 영역 중 영토와 영해 위에 있는 하늘의 범위를 무엇이라고 합니까?

5 우리 국토의 동쪽 끝에 위치한 섬으로 우리나라 사람들이 살고 있는 삶의 터전은 어디입니까?

6 (   )(으)로 긴 우리나라는 큰 산맥과 하천을 중심으로 북부, 중부, 남부 지방으로 구분할 수 있습니다.

7 (   ) 지방은 휴전선 남쪽부터 소백산맥과 금강 하류가 만나는 선까지를 말합니다.

8 나라를 효율적으로 관리하려고 나눈 지역을 무엇이라고 합니까?

9 군사적으로 매우 중요한 고개인 철령에 외적의 침입을 막으려고 건설한 방어 시설은 무엇입니까?

10 우리나라는 부산광역시, 인천광역시, 대전광역시, 대구광역시, 광주광역시, (   ) 모두 6곳의 광역시가 있습니다.

✏️ 빈칸에 알맞은 답을 쓰세요.

1 우리 국토는 아시아 대륙의 (　　　)에 위치한 반도입니다.

---

2 우리 국토는 삼면이 (　　　)와/과 맞닿아 있어 해양으로 나아가기에 좋은 위치에 있습니다.

---

3 우리나라 영토의 동쪽 끝은 경상북도 울릉군 (　　　)입니다.

---

4 영해는 우리나라 영토 주변의 바다로, 영해를 설정하는 기준선으로부터 (　　　)까지입니다.

---

5 휴전선을 기준으로 남과 북에 각각 2km 내에 위치한 영역을 무엇이라고 합니까?

---

6 (　　　) 지방은 휴전선 북쪽인 지금의 북한 지역을 말합니다.

---

7 우리나라의 전통적인 지역 구분에서 (　　　) 지방은 왕이 사는 도읍의 주변 지역을 뜻합니다.

---

8 우리나라의 전통적인 지역 구분은 오늘날 (　　　)을/를 정하는 기초가 되었습니다.

---

9 (　　　) 지방은 조령 고개의 남쪽에 있어서 붙여진 이름입니다.

---

10 특별시, 특별자치시, 광역시에는 시청이 있고, 도와 특별자치도에는 (　　　)이/가 있습니다.

[1-2] 다음은 우리나라가 속한 대륙이 나타난 지도입니다. 물음에 답하시오.

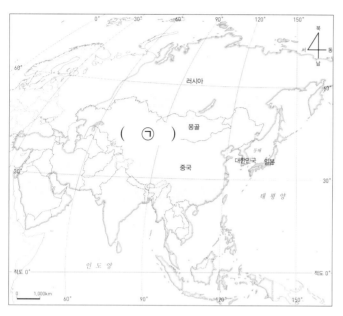

1 ➕ 11종 공통

우리나라가 속한 대륙으로 위 지도의 ㉠에 들어갈 알맞은 말을 쓰시오.

( )

2 ➕ 11종 공통

위 지도와 관련해 우리나라의 위치를 알맞게 설명한 것은 어느 것입니까? ( )

① 몽골과 직접 이웃해 있다.
② 일본의 동쪽에 위치하고 있다.
③ 러시아의 북쪽에 위치하고 있다.
④ 일본과 중국 사이에 위치하고 있다.
⑤ 남위 33°~43° 사이에 위치하고 있다.

3 ➕ 11종 공통

우리나라 위치의 특징과 관련해 ( ) 안에 들어갈 알맞은 말을 쓰시오.

> 우리나라는 삼면이 바다로 둘러싸이고, 한 면은 육지에 이어진 땅인 ( )입니다.

( )

4 서술형 ➕ 11종 공통

우리나라가 세계 여러 나라와 교류할 수 있는 까닭을 우리나라의 위치와 관련지어 쓰시오.

_____

_____

5 ➕ 11종 공통

다음은 영역의 구성을 나타낸 그림입니다. ㉠, ㉡에 해당하는 말을 쓰시오.

㉠ ( ), ㉡ ( )

[6-7] 다음은 우리나라의 영토 끝이 표시된 지도입니다. 물음에 답하시오.

6 ➕ 11종 공통

위 지도를 보고, 다음 지역에 해당하는 영토의 끝을 찾아 쓰시오.

(1) 함경북도 온성군 유원진

( )

(2) 제주특별자치도 서귀포시 마라도

( )

7 ➕ 11종 공통

위 지도와 관련해 우리나라의 영토에 대한 설명으로 알맞은 것을 보기 에서 모두 골라 기호를 쓰시오.

┌─ 보기 ●─────────────────────────┐
│ ㉠ 영공에 따라 영토의 범위가 정해진다.
│ ㉡ 다른 나라에서 함부로 들어올 수 없다.
│ ㉢ 다른 나라의 주권도 함께 미치는 범위이다.
│ ㉣ 한반도와 한반도에 속한 여러 섬을 말한다.
└────────────────────────────────┘

( )

8 ➕ 11종 공통

다음 ( ) 안에 들어갈 알맞은 숫자를 쓰시오.

┌──────────────────────────────────┐
│ 우리나라의 영해는 우리나라 영토 주변의 바다로, 영해를 설정하는 기준선으로부터 ( )해리까지입니다.
└──────────────────────────────────┘

( )

9 서술형 ➕ 11종 공통

다음 글을 읽고, 빈칸에 들어갈 알맞은 말을 쓰시오.

┌──────────────────────────────────┐
│ • 은규: 어제 뉴스를 봤는데, 우리나라의 영해에서 허가 없이 물고기를 잡은 다른 나라 어선이 처벌을 받는대.
│ • 채원: 다른 나라 어선이 우리나라 영해에서 물고기를 잡을 수 없구나. 왜 그럴까?
│ • 은규: 왜냐하면 _____
└──────────────────────────────────┘

_____

_____

10 미래엔, 비상교육 외

다음에서 설명하는 ㉠은 어디인지 쓰시오.

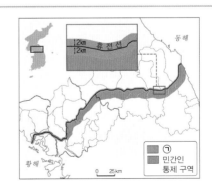

(㉠)은/는 휴전선을 중심으로 남과 북에 각각 2km내에 위치한 영역으로, 군인이나 무기를 원칙적으로 배치하지 않기로 한 곳입니다.

( )

11 ➕ 11종 공통

독도에 대한 설명으로 알맞지 <u>않은</u> 것은 어느 것입니까? (   )

① 화산 활동으로 생겨난 섬이다.
② 우리 국토의 동쪽 끝에 위치하고 있다.
③ 섬 전체를 천연기념물로 보호하고 있다.
④ 수산 자원과 지하자원이 풍부하고 국토방위에 중요한 장소이다.
⑤ 우리나라 사람들은 독도에 직접 방문할 수 없어 안타까운 장소이다.

12 ➕ 11종 공통

다음 (   ) 안에 들어갈 알맞은 말을 두 가지 고르시오. (,   )

> 남북으로 긴 우리나라는 큰 (   )을/를 중심으로 북부, 중부, 남부 지방으로 구분할 수 있습니다.

① 바다   ② 산맥
③ 평야   ④ 하천
⑤ 호수

13 서술형 ➕ 11종 공통

우리나라를 북부, 중부, 남부 지방으로 구분할 때 남부 지방의 의미를 쓰시오.

_____

_____

[14-15] 다음은 우리나라의 전통적인 지역 구분을 나타낸 지도입니다. 물음에 답하시오.

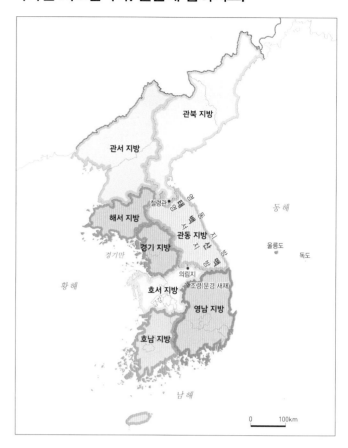

14 ➕ 11종 공통

위 지도에서 철령관과 관련된 이름을 가진 지역을 모두 찾아 쓰시오.

(   )

15 ➕ 11종 공통

위 지도와 관련해 (   ) 안에 들어갈 알맞은 말을 쓰시오.

> 우리나라의 전통적인 지역 구분에 따라 관동 지방은 (   )을/를 기준으로 영동 지방과 영서 지방으로 나뉩니다.

(   )

16 ⊕ 11종 공통

우리나라의 전통적인 지역 구분에 대한 설명을 선으로 알맞게 연결하시오.

(1) | 경기 지방 | ·   · ㉠ | 조령 고개의 남쪽에 있음. |

(2) | 영남 지방 | ·   · ㉡ | 금강(옛 이름 호강)의 남쪽에 있음. |

(3) | 호남 지방 | ·   · ㉢ | 왕이 사는 도읍의 주변 지역을 말함. |

17 ⊕ 11종 공통

다음 지도와 같이 나라를 효율적으로 관리하려고 나눈 지역을 무엇이라고 하는지 쓰시오.

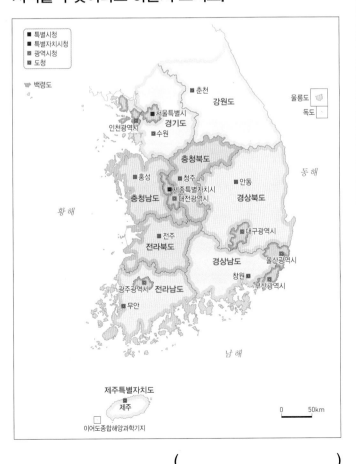

(   )

18 ⊕ 11종 공통

우리나라의 행정 구역에 대한 설명으로 알맞지 <u>않은</u> 것은 어느 것입니까? (   )

① 도에는 경기도, 강원도 등이 있다.
② 도와 특별자치도에는 도청이 있다.
③ 특별시 1곳과 특별자치시 2곳이 있다.
④ 특별시, 특별자치시, 광역시에는 시청이 있다.
⑤ 광역시에는 인천광역시, 대전광역시 등이 있다.

19 서술형 ⊕ 11종 공통

북한 지역을 제외한 우리나라의 행정 구역은 어떻게 이루어져 있는지 쓰시오.

_____

_____

20 ⊕ 11종 공통

강원도의 명칭에 담겨 있는 그 지역의 중심 도시를 두 곳 고르시오. (,   )

① 강릉   ② 경주
③ 나주   ④ 원주
⑤ 청주

🖊 빈칸에 알맞은 답을 쓰세요.

1 (   )은/는 해안, 하천, 평야, 산지, 섬 등 땅의 다양한 생김새를 말합니다.

2 우리나라는 ㉠ (   )이/가 높고, ㉡ (   )이/가 낮은 지형 입니다.

3 사람들은 하천 중·상류에 다목적 댐을 건설해 (   )와/과 가뭄을 예방하고 전기를 생산합니다.

4 (   )에는 길게 뻗은 모래사장이 펼쳐진 곳이 많아 여름이 되면 해수욕을 즐기려고 관광객이 몰려듭니다.

5 우리나라는 (   )(으)로 길게 뻗어 있어 남쪽 지방과 북쪽 지방의 기온 차이가 큽니다.

6 우리나라는 연평균 강수량의 절반 이상이 (   )에 집중됩니다.

7 홍수 때 집이 물에 잠기는 것을 막으려고 집터를 주변보다 높여서 지은 집은 무엇입니까?

8 홍수, 가뭄, 태풍, 지진 등 피할 수 없는 자연 현상으로 인해 일어나는 피해를 무엇이라고 합니까?

9 (   )은/는 땅이 지구 내부의 힘을 받아 흔들리고 갈라지는 현상 으로, 인명과 재산에 피해를 주기도 하는 자연재해입니다.

10 자연재해의 피해를 줄이려면 재해가 발생했을 때의 행동 요령과 (   )을/를 알고 실천하는 태도가 필요합니다.

✏️ 빈칸에 알맞은 답을 쓰세요.

1 우리가 살고 있는 땅의 다양한 생김새를 무엇이라고 합니까?

2 우리 국토는 높고 험한 산지는 대부분 북동쪽에 많고, 비교적 낮은 (   )은/는 서쪽에 발달했습니다.

3 사람들이 여가 생활을 즐길 수 있도록 높은 (   )에 스키장이나 휴양 시설을 만듭니다.

4 서해안은 밀물과 썰물의 차가 커서 (   )이/가 발달했습니다.

5 오랜 기간 한 지역에서 나타나는 평균적인 대기 상태를 무엇이라고 합니까?

6 우리나라는 중위도에 위치해 (   )이/가 나타나며 계절별로 기온의 차이가 큽니다.

7 우리나라는 대체로 ㉠ (   )(으)로 갈수록 기온이 높아져 더 따뜻하고, ㉡ (   )(으)로 갈수록 기온이 낮아져 더 춥습니다.

8 우리나라는 대체로 남부 지방은 강수량이 많고, (   ) 지방은 강수량이 적습니다.

9 (   )은/는 비가 많이 내려 물이 흘러넘치고 도로나 건물이 물에 잠기는 것을 말합니다.

10 오랫동안 비가 오지 않거나 적게 오는 기간이 지속되는 현상을 무엇이라고 합니까?

1 ➕ 11종 공통

다음에서 설명하는 지형을 보기에서 찾아 기호를 쓰시오.

> **보기**
> ㉠ 산지   ㉡ 평야   ㉢ 하천   ㉣ 해안

⑴ 빗물과 지하수가 낮은 곳으로 흘러가면서 만든 크고 작은 물줄기를 말합니다.

(   )

⑵ 높이 솟은 산들이 모여 이룬 지형으로, 하천과 평야의 발달에도 영향을 줍니다.

(   )

2 ➕ 11종 공통

다음 (   ) 안에 공통으로 들어갈 지형의 이름을 쓰시오.

> 바다로 둘러싸인 땅을 (   )(이)라고 하며 우리나라에는 약 3,300여 개의 (   )이/가 있습니다.

(   )

3 ➕ 11종 공통

우리나라의 지형에 대한 설명으로 알맞지 <u>않은</u> 것은 어느 것입니까? (   )

① 국토의 약 70%가 산지이다.
② 서쪽은 높고 동쪽은 낮은 지형이다.
③ 비교적 낮은 평야는 서쪽에 발달했다.
④ 높고 험한 산지는 대부분 북동쪽에 많다.
⑤ 큰 하천은 대부분 동쪽에서 서쪽으로 흘러간다.

[4-5] 다음은 우리나라의 지형도와 지형 단면도입니다. 물음에 답하시오.

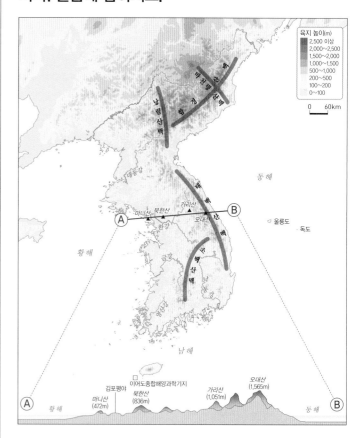

4 ➕ 11종 공통

위 지형도에서 우리나라의 동쪽에 위치하며 남북으로 가장 길게 뻗어 있는 산맥은 무엇입니까? (   )

① 낭림산맥   ② 태백산맥
③ 소백산맥   ④ 함경산맥
⑤ 마천령산맥

5 서술형 ➕ 11종 공통

위 지형도에서 한강, 금강과 같은 큰 하천이 동쪽에서 서쪽으로 흐르는 까닭이 무엇인지 쓰시오.

_____

_____

6 ⊕ 11종 공통

다음은 우리나라의 해안선이 나타난 지도입니다. ㉠, ㉡ 중 해안선이 단조롭고 해수욕장이 발달한 곳의 기호를 쓰시오.

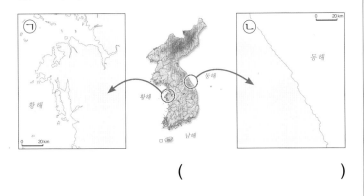

( )

7 ⊕ 11종 공통

다음과 같은 특징으로 인해 서해안에서 많이 볼 수 있는 모습은 무엇입니까? ( )

> 밀물과 썰물의 차가 커서 갯벌이 발달했습니다.

① 평야에서 농사를 짓는 모습
② 스키장에서 스키를 타는 모습
③ 해산물과 소금을 채취하는 모습
④ 해수욕장에서 물놀이를 하는 모습
⑤ 김, 조개류 등의 양식업을 하는 모습

8  ⊕ 11종 공통

해안 지역에서 항구 도시가 발달한 까닭을 쓰시오.

_____

_____

9 ⊕ 11종 공통

다음 중 평야 지역을 이용하는 모습을 두 가지 고르시오. (,)

①  ②

③  ④

10 ⊕ 11종 공통

다음에서 설명하는 것이 무엇인지 쓰시오.

> 짧은 시간에 변하는 대기의 상태를 뜻하는 날씨와 달리 오랜 기간 한 지역에 나타나는 평균적인 대기 상태를 말합니다.

내가 사는 곳은 비가 적게 오고 더워.

( )

11 서술형 ➕ 11종 공통

다음 그림과 관련해 겨울에 우리나라로 불어오는 바람의 특징을 쓰시오.

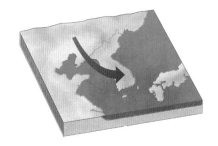

_____

_____

12 ➕ 11종 공통

우리나라 동해안의 겨울 기온이 서해안보다 높은 까닭을 알맞게 말한 친구를 고르시오. (   )

① 동해의 수심이 얕기 때문이야.

② 계절별로 기온의 차이가 크기 때문이야

③ 우리나라가 중위도에 위치해 있기 때문이야.

④ 태백산맥이 차가운 북서풍을 막아 주기 때문이야.

13 김영사, 미래엔 외

지역의 기온에 따른 옛날 사람들의 생활 모습을 선으로 알맞게 연결하시오.

(1) 남쪽 지방 •

(2) 북쪽 지방 •

• ㉠ 싱거운 음식이 발달함.

• ㉡ 소금과 젓갈이 많이 들어간 음식이 발달함.

14 ➕ 11종 공통

우리나라의 강수량 특징에 맞게 강수량이 많은 쪽에 >, < 표시를 하시오.

(1) 남부 지방 (   ) 북부 지방

(2) 여름철 강수량 (   ) 겨울철 강수량

15 ➕ 11종 공통

다음에서 설명하는 것이 무엇인지 쓰시오.

여름철에 비가 많이 오는 지역에서 집이 물에 잠기는 것을 막으려고 집터를 주변보다 높여서 지은 집입니다.

(   )

16 ✚ 11종 공통

사람들의 생활 모습과 관련해 가뭄에 대비하기 위한 노력으로 알맞은 것은 어느 것입니까? (   )

① 온돌　　　　　　　② 설피
③ 저수지　　　　　　④ 모시옷
⑤ 터돋움집

17 ✚ 11종 공통

다음 보기 에서 우리나라에서 발생하는 자연재해를 모두 골라 기호를 쓰시오.

> **보기** ●
> ㉠ 태풍　　　　　　㉡ 폭설
> ㉢ 폭염　　　　　　㉣ 미세 먼지

(　　　　　　　　　　　　)

18 ✚ 11종 공통

겨울에 주로 발생하는 자연재해로 알맞은 것은 어느 것입니까? (   )

①

▲ 황사

②

▲ 폭염

③

▲ 가뭄

④

▲ 한파

19 ✚ 11종 공통

다음과 같은 행동 요령과 관련 있는 자연재해는 무엇입니까? (   )

책상 아래로 들어가 몸을 보호합니다.

건물 밖으로 나가서 넓은 곳으로 대피합니다.

① 지진　　　② 폭설　　　③ 한파
④ 홍수　　　⑤ 황사

20 서술형 ✚ 11종 공통

다음과 같은 홍수로 인한 피해를 줄이기 위한 노력을 두 가지 쓰시오.

_____

_____

✏️ **빈칸에 알맞은 답을 쓰세요.**

1 1960년대 이전에는 벼농사에 유리한 (   ) 지역에 사람들이 많이 모여 살아 인구 밀도가 높았습니다.

2 우리나라에서 인구가 가장 밀집한 지역은 서울을 중심으로 인천과 경기를 포함한 (   )입니다.

3 오늘날 우리나라의 연령별 인구 구성은 (   )·고령 사회의 특징을 보여 줍니다.

4 2018년에 우리나라는 노인 인구 비율이 14%를 넘어 (   ) 사회에 도달했습니다.

5 1960년대에 사람들이 (   )을/를 찾아 도시로 이동하면서 대도시 지역의 인구가 급속히 증가했습니다.

6 대도시로 인구가 집중하면서 생긴 문제를 해결하려고 1980년대부터 대도시 주변 지역에 (   )을/를 건설했습니다.

7 남동 임해 공업 지역을 중심으로 철강, 석유 화학, 조선, 자동차 등의 (   ) 공업이 발달했습니다.

8 오늘날에는 과학과 기술이 발달하면서 (   ) 산업이 빠르게 성장하고 있습니다.

9 광주와 대구 중 자동차 산업이 발달했으며 이와 관련된 여러 가지 시설을 볼 수 있는 지역은 어디입니까?

10 2004년에 고속 철도가 개통되면서 사람들의 (   )이/가 넓어졌습니다.

✏ 빈칸에 알맞은 답을 쓰세요.

1 1960년대 이후 우리나라의 인구 분포는 일자리, 교통 등 (   ) 환경의 영향을 많이 받았습니다.

2 인구가 줄어드는 (   )에서는 일손 부족, 교육 시설 부족 등의 문제가 발생합니다.

3 일정한 지역 안의 인구를 성, 연령 등의 기준으로 나누어 본 짜임새를 무엇이라고 합니까?

4 오늘날 저출산으로 새로 태어나는 아기의 수는 점점 ㉠ (   ), 전체 인구에서 노인이 차지하는 비율은 ㉡ (   ) 있습니다.

5 1970년대에는 포항, 울산, 마산, 창원 등이 새로운 (   ) 도시로 성장하면서 도시 인구가 크게 증가했습니다.

6 1980년대 이후에는 국토를 균형적으로 발전시키려고 수도권에 있는 청사와 같은 (   )을/를 지방으로 옮겼습니다.

7 1970년대에 원료를 수입하고 제품을 수출하기 편리한 (   ) 해안 지역에 중화학 공업 단지가 형성되었습니다.

8 1970년에 서울과 부산을 잇는 (   )이/가 완공되었습니다.

9 (   )의 발달로 사람과 물자의 이동이 더욱 활발해지고 지역 간 이동 시간이 줄어들고 있습니다.

10 도시의 성장으로 더 많은 인구가 (   )을/를 찾아 도시로 이동하면서 교통과 산업은 더욱 발달했습니다.

1 ➕ 11종 공통

다음은 1940년 우리나라의 인구 분포를 나타낸 것입니다. 이와 관련해 빈칸에 들어갈 알맞은 말에 ○표 하시오.

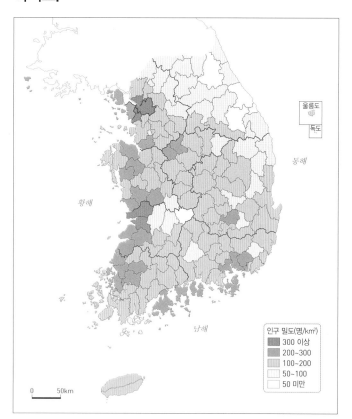

1960년대 이전에는 (남서쪽 , 북동쪽)의 평야 지역에 사람들이 많이 모여 살았습니다.

2 ➕ 11종 공통

다음 보기 에서 오늘날 우리나라의 인구 분포에 대한 설명으로 알맞은 것을 골라 기호를 쓰시오.

보기
㉠ 북동쪽 산지 지역의 인구 밀도가 높다.
㉡ 촌락 지역은 노년층 인구의 비율이 낮다.
㉢ 수도권에 우리나라 전체 인구의 약 절반이 모여 살고 있다.

( )

3 서술형 ➕ 11종 공통

다음 그래프를 보고, 1970년과 비교해 2020년의 65세 이상 인구의 변화를 쓰시오.

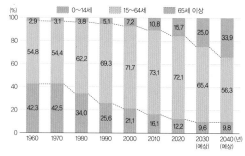

▲ 우리나라의 연령별 인구 구성

_____

_____

4 ➕ 11종 공통

다음 ㉠, ㉡에 들어갈 말을 알맞게 짝지은 것은 어느 것입니까? ( )

오늘날 우리나라는 (㉠) 인구는 점점 줄고 있고, (㉡) 인구는 점점 늘고 있습니다.

	㉠	㉡
①	노년층	유소년층
②	노년층	청장년층
③	유소년층	청장년층
④	유소년층	노년층
⑤	청장년층	유소년층

5 ➕ 11종 공통

다음 ⑺, ⑷의 인구 피라미드 중 저출산·고령 사회의 모습이 나타난 것을 골라 기호를 쓰시오.

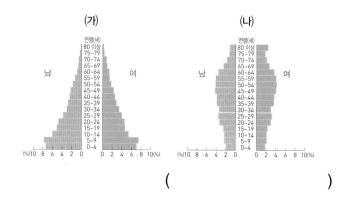

( )

6 ➕ 11종 공통

다음은 우리나라의 도시 수와 도시별 인구를 나타낸 그래프입니다. 이에 대한 설명으로 알맞지 <u>않은</u> 것을 보기 에서 고르시오.

▲ 1960년

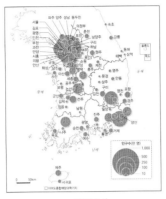

▲ 2020년

보기 ●
㉠ 수도권에 도시가 많이 생겨났다.
㉡ 우리나라의 도시 수가 크게 늘어났다.
㉢ 인구가 100만 명 이상인 대도시의 수가 줄어들었다.

(   )

7 ➕ 11종 공통

1960년대 이후 본격적으로 도시가 발달하게 된 배경으로 알맞은 것을 두 가지 고르시오. (,   )

① 공업이 발달하기 시작했다.
② 지역 간의 이동이 어려워졌다.
③ 유소년층의 인구가 줄어들었다.
④ 공업 사회에서 농업 사회로 변화했다.
⑤ 사람들이 일자리를 찾아 도시로 이동했다.

8 ➕ 11종 공통

1970년대에 새로운 공업 도시로 성장하여 도시 인구가 크게 증가한 곳이 <u>아닌</u> 지역은 어디입니까? (   )

① 마산   ② 세종   ③ 울산
④ 창원   ⑤ 포항

9 서술형 ➕ 11종 공통

다음 밑줄 친 부분에 들어갈 알맞은 내용을 쓰시오.

대도시에 인구가 집중하면서 생긴 문제를 해결하려고 1980년대부터 _____ 인구와 기능을 분산했습니다.

_____

_____

10 ➕ 11종 공통

1980년대 이후 우리나라의 도시 발달에 대해 알맞게 말한 친구를 골라 ○표 하시오.

(1) 국토를 균형적으로 발전시키려고 수도권에 있는 시설을 지방으로 옮겼습니다.

(2) 대도시에 인구가 부족하여 일손 부족, 교육 시설 부족 등의 문제가 발생했습니다.

(   )   (   )

11 ⊕ 11종 공통

다음 글을 읽고, ㉠~㉣ 중 옳지 <u>않은</u> 내용을 골라 기호를 쓰시오.

> 과거에는 생산 활동에 적합한 자연환경을 갖춘 곳에서 ㉠ <u>농업, 어업, 임업이 주로 발달했습니다.</u> 1960년대에는 풍부한 노동력을 바탕으로 ㉡ <u>컴퓨터와 반도체 등 정보 통신 산업이 크게 성장했습니다.</u> 1970년대에는 ㉢ <u>철강, 배, 자동차 등과 관련된 산업이 발달하였습니다.</u> 오늘날에는 ㉣ <u>로봇, 항공, 우주와 관련된 첨단 산업이 발달하였습니다.</u>

( )

12 ⊕ 11종 공통

다음에서 설명하는 지역은 어디입니까? ( )

원료를 수입하고 제품을 수출하기 좋은 해안가에 위치해 물류 산업이 발달했습니다.

① 광주   ② 대구   ③ 대전
④ 부산   ⑤ 서울

13 서술형   아이스크림, 천재교육 외

다음과 같이 지역별로 각기 다른 산업이 발전한 까닭을 쓰시오.

▲ 첨단 산업(대전)

▲ 시멘트 산업(동해)

_____

_____

[14-15] 다음은 우리나라의 주요 공업 지역이 나타난 지도입니다. 물음에 답하시오.

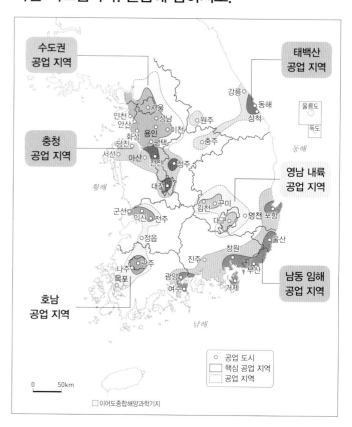

14 ⊕ 11종 공통

위 지도에 나타난 공업 지역 중 원료 수입과 제품 수출에 유리하여 중화학 공업이 발달한 곳은 어디인지 찾아 쓰시오.

( )

15 ⊕ 11종 공통

위 지도에 나타난 태백산 공업 지역에 대한 설명으로 알맞은 것은 어느 것입니까? ( )

① 연구소와 대학교가 모여 있다.
② 자동차 관련 연구 시설이 발달했다.
③ 인구가 집중되어 있어 소비 시장이 크다.
④ 아름다운 자연환경과 따뜻한 기후가 나타난다.
⑤ 풍부한 지하자원을 바탕으로 원료 산업이 발달했다.

16 ✚ 11종 공통

교통의 발달로 달라진 사람들의 생활 모습으로 알맞은 것은 어느 것입니까? (　　　)

① 생활권이 넓어지고 있다.
② 물건의 이동이 느려지고 있다.
③ 사람의 이동이 줄어들고 있다.
④ 지역 간 이동 시간이 늘어나고 있다.
⑤ 사람들이 느끼는 지역 간의 거리가 점점 멀어지고 있다.

17 서술형 ✚ 11종 공통

다음은 우리나라의 교통 발달과 관련된 글입니다. 밑줄 친 '생활권'의 의미를 쓰시오.

• 1960년대 말부터 여러 고속 국도가 건설되면서 전 국토가 1일 <u>생활권</u>으로 연결되었습니다.
• 2004년부터 고속 철도가 개통되면서 전 국토의 반나절 <u>생활권</u>이 가능해졌습니다.

_____

_____

18 ✚ 11종 공통

인문환경의 변화에 따라 달라진 국토의 모습을 살펴보려고 할 때 조사할 주제로 알맞지 <u>않은</u> 것은 어느 것입니까? (　　　)

① 우리나라의 교통　　② 우리나라의 기후
③ 우리나라의 도시　　④ 우리나라의 산업
⑤ 우리나라의 인구

19 ✚ 11종 공통

다음 (　　　) 안에 들어갈 알맞은 말을 쓰시오.

　우리나라는 인구가 많은 지역을 중심으로 교통망이 발달했습니다. 교통이 발달하면 지역 간 교류가 활발해져서 (　　　)이/가 성장하면서 더욱 많은 도시가 생겨났습니다.

(　　　　　　　　　　)

20 ✚ 11종 공통

인구, 도시, 산업, 교통 간의 관계에 대해 <u>잘못</u> 말한 친구를 골라 이름을 쓰시오.

인구의 증가에 따라 도시가 성장했어.
▲ 지민

산업의 발전으로 도시에 일자리가 집중됐어.
▲ 두준

교통의 발달로 지역 간 인구 이동이 감소했어.
▲ 은우

인구가 많은 지역을 중심으로 교통이 발달했어.
▲ 진서

(　　　　　　　　　　)

[1-2] 다음 지도를 보고, 물음에 답하시오.

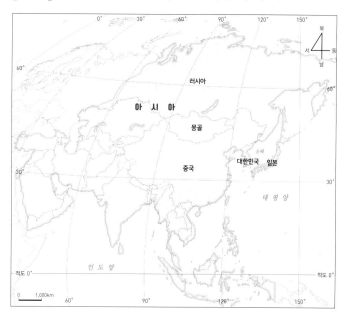

1 ✚ 11종 공통

위 지도와 관련해 ⊙~ⓒ 중 옳지 <u>않은</u> 내용을 골라 기호를 쓰시오.

> 우리 국토는 ⊙ 아시아 대륙의 동쪽에 위치한 반도로, ⓛ 남위 33°~43°, 동경 124°~132° 사이에 위치해 있습니다. ⓒ 주변에는 러시아, 중국, 일본 등의 나라가 있습니다.

( )

2 서술형 ✚ 11종 공통

위 지도를 통해 알 수 있는 우리 국토의 위치가 갖는 장점을 두 가지 쓰시오.

_____

_____

3 ✚ 11종 공통

우리 국토의 장소와 그 장소에 대한 설명을 선으로 알맞게 연결하시오.

(1) 독도 •

(2) 비무장 지대 •

• ⊙ 한반도의 평화와 생태계 보전의 중요성과 관련된 장소임.

• ⓛ 우리 국토의 동쪽 끝에 위치한 섬으로 국토 방위에 중요한 장소임.

4 ✚ 11종 공통

다음과 같이 지역을 구분할 때 북부 지방과 중부 지방을 나누는 경계선은 무엇인지 쓰시오.

( )

5 ✚ 11종 공통

우리나라의 전통적인 지역 구분에서 다음 강과 관련된 지역을 두 곳 고르시오. (,)

① 관북 지방 ② 관서 지방
③ 호서 지방 ④ 호남 지방
⑤ 영남 지방

▲ 금강

6 ⊕ 11종 공통

경기 지방이라는 명칭에 담긴 의미로 알맞은 것은 어느 것입니까? (   )

① 금강의 남쪽에 있는 지역이다.
② 왕이 사는 도읍의 주변 지역이다.
③ 조령 고개의 남쪽에 있는 지역이다.
④ 철령관을 기준으로 서쪽에 있는 지역이다.
⑤ 의림지의 서쪽에 위치하고 금강의 서쪽에 있는 지역이다.

7 ⊕ 11종 공통

다음 우리나라의 행정 구역을 나타낸 지도를 보고, 특별자치시를 찾아 이름을 쓰시오.

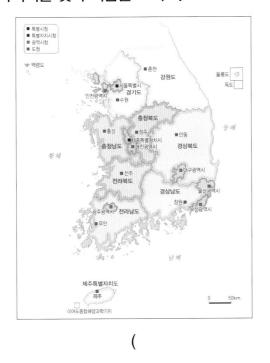

(   )

8 ⊕ 11종 공통

다음 글의 ㉠, ㉡에 해당하는 지형이 무엇인지 쓰시오.

> 우리가 살아가는 곳에는 다양한 지형이 있습니다. ㉠ 바다와 맞닿은 육지 부분으로 갯벌이 나타나거나 모래사장이 있는 곳이 있으며, ㉡ 하천 주변에 넓고 평탄한 땅으로 농사짓기가 적당한 곳도 있습니다.

㉠ (   ), ㉡ (   )

[9-10] 다음은 우리나라의 지형도와 지형 단면도입니다. 물음에 답하시오.

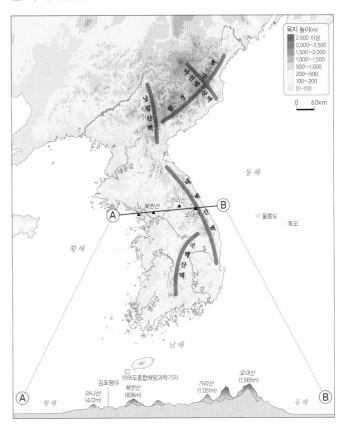

9 ⊕ 11종 공통

위 지도와 관련해 우리나라 지형의 특징으로 알맞은 것은 무엇입니까? (   )

① 북쪽과 동쪽에 여러 산맥이 있다.
② 산맥 주변에 넓은 평야가 모여 있다.
③ 우리 국토는 산지보다 평야가 훨씬 많다.
④ 한강과 금강은 서쪽에서 동쪽으로 흐른다.
⑤ 동쪽은 낮고 서쪽은 높은 지형이 나타난다.

10 서술형   비상교과서, 아이스크림 외

위 지형 단면도의 김포평야 주변에서 생활하는 사람들의 모습을 한 가지만 쓰시오.

_____

_____

11 ➕ 11종 공통

사람들이 다음 사진과 같은 지형을 이용하는 모습으로 알맞지 <u>않은</u> 것은 어느 것입니까? (   )

① 모래사장에서 여가를 즐긴다.
② 사람들이 해수욕을 즐기려고 모인다.
③ 김, 조개 등을 기르는 양식업을 한다.
④ 갯벌에서 해산물이나 소금을 채취한다.
⑤ 높은 산지에 스키장이나 휴양 시설을 만든다.

12 서술형 ➕ 11종 공통

다음과 같은 바람이 우리나라에 불어오는 계절이 무엇인지 쓰고, 그 계절의 기후 특징을 간단히 쓰시오.

_____

_____

13 ➕ 11종 공통

다음 보기 에서 우리나라 기온의 특징에 대한 설명으로 알맞은 것을 골라 기호를 쓰시오.

┌─ 보기 ●
│ ㉠ 남쪽에서 북쪽으로 갈수록 기온이 높아진다.
│ ㉡ 대체로 내륙 지역이 해안 지역보다 겨울에 더 따뜻하다.
│ ㉢ 태백산맥과 동해의 영향으로 동해안의 겨울 기온이 서해안보다 높은 편이다.

(   )

14 ➕ 11종 공통

우리나라의 봄에 주로 발생하는 자연재해를 두 가지 고르시오. (,   )

① 가뭄   ② 폭설
③ 폭염   ④ 한파
⑤ 황사

15 ➕ 11종 공통

한파의 피해를 줄이기 위한 노력을 알맞게 말한 친구를 고르시오. (   )

① 손이나 가방으로 머리를 보호합니다.

② 햇볕에 오랜 시간 동안 노출되지 않도록 합니다.

③ 체온을 유지하기 위해 장갑, 모자, 목도리 등을 착용합니다.

④ 창문과 창틀을 테이프로 단단히 고정시킵니다.

16 ➕ 11종 공통

다음에서 설명하는 것이 무엇인지 보기 에서 골라 쓰시오.

보기 ●
• 인구 구성   • 인구 분포   • 인구 밀도

(1) 사람들이 어디에 얼마나 모여 살고 있는지 나타낸 것입니다.

(   )

(2) 일정한 넓이(1km²) 안의 인구수로, 인구가 모여있는 정도를 나타낸 것입니다.

(   )

17 서술형 ➕ 11종 공통

다음 두 지도를 보고, 과거와 오늘날에 인구 밀도가 높은 지역의 특징을 비교하여 쓰시오.

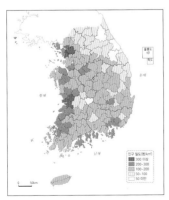

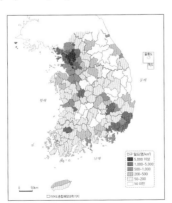

▲ 1940년의 인구 분포   ▲ 2020년의 인구 분포

_____

_____

18 ➕ 11종 공통

우리나라가 고령 사회로 진입하게 된 까닭으로 알맞은 것은 어느 것입니까? (   )

① 인구가 늘었기 때문에
② 노인 인구가 늘었기 때문에
③ 평균 수명이 짧아졌기 때문에
④ 아이를 많이 낳는 가정이 늘었기 때문에
⑤ 농촌에서 도시로 이동하는 사람들이 늘었기 때문에

19 ➕ 11종 공통

교통의 발달로 달라진 국토의 모습에 대한 설명으로 알맞지 <u>않은</u> 것은 어느 것입니까? (   )

① 사람들의 생활권이 보다 넓어졌다.
② 지역 간의 이동 시간이 줄어들었다.
③ 사람과 물자의 이동이 더욱 활발해졌다.
④ 제품 생산에 필요한 원료를 빠르게 운반할 수 있게 되었다.
⑤ 공항의 수가 늘면서 자동차를 이용하는 사람들의 수가 늘어났다.

20 ➕ 11종 공통

인문환경의 변화에 따라 달라진 국토의 모습과 관련해 다음 (   ) 안에 공통으로 들어갈 말을 쓰시오.

• 우리나라는 (   )이/가 많은 지역을 중심으로 교통망이 발달했습니다.
• 도시의 성장으로 더 많은 (   )이/가 일자리를 찾아 도시로 이동하면서 교통과 산업은 더욱 발달했습니다.

(   )

평가 주제	우리나라의 위치와 영역 특징 설명하기
평가 목표	우리나라 위치의 특징과 영역의 의미를 설명할 수 있다.

[1-3] 다음 지도를 보고, 물음에 답하시오.

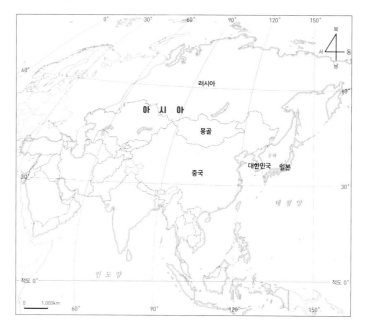

1 위 지도에서 우리나라의 위치를 보고, 빈칸에 들어갈 알맞은 말을 쓰시오.

(1) 우리 국토는 아시아 대륙의 (   )쪽에 위치한 반도입니다.

(2) 우리나라 주변에는 러시아, 중국, (   ), 몽골 등의 나라가 위치하고 있습니다.

2 우리나라 위치의 특징과 관련해 ㉠, ㉡에 들어갈 알맞은 말을 쓰시오.

예 우리 국토는 도로나 철도를 이용해 (㉠   )(으)로 나아가기 유리합니다. 또 삼면이

(㉡   )와/과 맞닿아 있어 해양으로 나아가기에도 좋은 위치에 있습니다.

3 우리나라의 영역과 관련해 ㉠~㉢에 들어갈 알맞은 말을 쓰시오.

영토	(㉠)와/과 한반도에 속한 여러 섬을 말합니다.
영해	우리나라 (㉡)의 영역을 말합니다.
영공	우리나라 영토와 영해 위에 있는 (㉢)의 범위를 말합니다.

평가 주제	우리나라의 지역별 기온 특징 파악하기
평가 목표	우리나라 기온의 특징이 옛날 사람들의 생활에 끼친 영향을 설명할 수 있다.

[1-3] 다음 우리나라의 기후도를 보고, 물음에 답하시오.

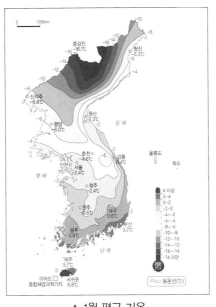

▲ 1월 평균 기온

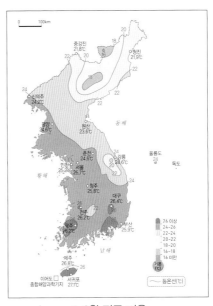

▲ 8월 평균 기온

1 위 두 기후도를 보고, ㉠, ㉡에 들어갈 알맞은 말을 쓰시오.

> 우리나라는 대체로 (㉠)(으)로 갈수록 기온이 높아져 더 따뜻하고, (㉡)(으)로 갈수록 기온이 낮아져 더 춥습니다.

㉠ (   ), ㉡ (   )

2 위 1월 평균 기온을 나타낸 기후도에서 서울보다 강릉의 기온이 더 높은 까닭을 쓰시오.

_____

_____

3 우리나라 기온의 특징이 옛날 사람들의 계절별 의생활에 끼친 영향을 쓰시오.

(1) 여름

(2) 겨울

✏️ 빈칸에 알맞은 답을 쓰세요.

1 모든 사람이 인간다운 삶을 살아가기 위해 당연히 누려야 할 기본적인 권리를 무엇이라고 합니까?

2 임산부가 편하게 이동할 수 있도록 지하철이나 버스에 (   )을/를 설치합니다.

3 어린이를 위한 잡지와 어린이날을 만드는 등 어린이의 인권 신장을 위해 노력한 사람은 누구입니까?

4 마틴 루서 킹은 백인에게 차별받는 (   )의 인권을 신장하고자 노력했습니다.

5 조선 시대에 백성들이 억울한 일이 있을 때 대궐 밖에 설치된 북을 쳐서 임금에게 알릴 수 있도록 한 제도는 무엇입니까?

6 억울한 일을 당한 사람이 임금의 행차 때 징이나 꽹과리를 쳐서 임금에게 억울함을 호소할 수 있었던 제도를 (   )(이)라고 합니다.

7 (   )은/는 시각 장애인이 손으로 읽을 수 있는 한글 점자인 '훈맹정음'을 만들었습니다.

8 시각 장애인이 안전하게 다닐 수 있도록 건물의 바닥이나 도로에 깐 블록을 무엇이라고 합니까?

9 국가와 지방 자치 단체에서 국민이 빈곤, 질병, 생활 불안 등에서 벗어나 안정적으로 살 수 있도록 시행하는 제도를 무엇이라고 합니까?

10 다양성을 인정하는 태도를 지니고 상대방을 (   )하는 말과 행동을 함으로써 다른 사람의 인권을 지킬 수 있습니다.

✏️ 빈칸에 알맞은 답을 쓰세요.

1 (   )이/가 보장될 때 우리는 인간으로서 존엄을 지키고 행복하게 살 수 있습니다.

2 인권은 인종, 성별, 나이, 종교, 국적 등과 관계없이 누구나 동등하게 누려야 하는 (   )입니다.

3 어린이가 안전하게 등하교할 수 있도록 학교 앞에 어린이 (   ) 을/를 지정합니다.

4 『홍길동전』을 지어 신분이 천하다는 이유로 능력을 펼칠 기회를 주지 않는 신분 제도의 잘못된 점을 주장한 사람은 누구입니까?

5 (   )은/는 가난하고 아픈 사람들을 위해 평생을 바치고, 버림받은 아이도 존중해야 한다고 생각했습니다.

6 신분과 관계없이 억울한 일을 문서에 써서 임금에게 호소할 수 있었던 제도를 무엇이라고 합니까?

7 조선 시대에는 사형과 같은 무거운 형벌을 내릴 때 신분과 관계없이 (   ) 번의 재판을 거치도록 했습니다.

8 사생활 침해, 편견이나 차별, 사이버 폭력을 포함한 학교 폭력은 상대방의 인권을 (   )하지 않는 모습입니다.

9 학교에서는 자신의 권리를 알고, 다른 사람의 인권을 존중할 수 있도록 다양한 인권 (   )을/를 실시합니다.

10 국가와 (   )에서는 모든 사람이 안전하고 편리할 수 있도록 다양한 공공 편의 시설을 설치하여 운영합니다.

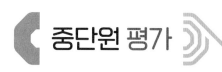

[1-2] 다음 글을 읽고, 물음에 답하시오.

> 모든 사람은 태어나면서부터 인간답게 살 권리가 있으며, 어떤 이유로도 인간답게 살 권리를 다른 사람이 빼앗을 수 없습니다. 이처럼 사람이기 때문에 당연히 누려야 할 기본적인 권리를 (　　　)(이)라고 합니다.

1 ➕ 11종 공통

윗글의 (　　) 안에 들어갈 알맞은 말을 쓰시오.

(　　　　　　　)

2 ➕ 11종 공통

위 **1**번 답에 대한 설명으로 알맞지 <u>않은</u> 것은 어느 것입니까? (　　　)

① 모든 사람에게 평등하게 보장된다.
② 누구나 동등하게 누려야 하는 권리이다.
③ 다른 사람이 힘이나 권력으로 빼앗을 수 있다.
④ 사람으로서 당연히 인간답게 살 권리를 말한다.
⑤ 누구나 안전하게 행복을 누리며 살아갈 권리를 말한다.

3 ➕ 11종 공통

생활 속에서 인권이 존중되는 모습과 관련해 빈칸에 알맞은 말에 ○표 하시오.

(1) 장애인이 편리하게 이동할 수 있도록 장애인 전용 (주차 구역 , 보호 구역)을 만듭니다.

(2) 몸이 불편한 사람이 버스에 쉽게 오를 수 있도록 바닥이 낮고 출입구에 경사판을 설치한 (저상 버스 , 임산부 배려석)을/를 운영합니다.

4 ➕ 11종 공통

생활 속에서 인권이 존중되는 모습으로 알맞지 <u>않은</u> 것은 어느 것입니까? (　　　)

① 학교 앞에 어린이 보호 구역을 지정한다.
② 밤 10시가 넘은 시간에 피아노 연주를 한다.
③ 키가 작은 어린이를 위해 낮은 세면대를 설치한다.
④ 노약자와 몸이 불편한 사람을 위해 공공 장소에 승강기를 설치한다.
⑤ 임신, 출산 등으로 직장 생활을 잠시 쉬어야 할 때 이를 법적으로 보장한다.

5  서술형 ➕ 11종 공통

다음 사진의 인물이 인권 신장을 위해 노력했던 일을 한 가지만 쓰시오.

▲ 테레사 수녀

_____

_____

6 ⊕ 11종 공통

다음은 제1회 어린이날 선전문 중의 일부 내용입니다. 이 글과 관련 있는 사람은 누구입니까? (   )

> • 어린이를 내려다보지 마시고 쳐다 보아 주시오.
> • 어린이에게 경어를 쓰시되 부드럽게 하여 주시오.
> • 어린이를 책망하실 때에는 쉽게 성만 내지 마시고 자세히 타일러 주시오.
> • 어린이들이 서로 모여 즐겁게 놀 만한 놀이터와 기관 같은 것을 지어 주시오.

① 김구   ② 허균   ③ 방정환
④ 전태일   ⑤ 이효재

7 비상교과서, 천재교과서 외

다음 사진의 인물이 인권 신장을 위해 노력했던 일로 알맞은 것은 무엇입니까? (   )

▲ 마틴 루서 킹

① 신분 제도를 없앨 것을 주장했다.
② 여성의 인권 보호를 위해 노력했다.
③ 어린이를 존중해야 한다고 주장했다.
④ 흑인의 인권을 신장하려고 노력했다.
⑤ 장애인이 차별 없이 살아갈 수 있게 노력했다.

8 서술형 ⊕ 11종 공통

옛날에 백성들이 다음 그림과 같은 방법을 사용했던 까닭을 쓰시오.

_____

_____

[9-10] 다음 글을 읽고, 물음에 답하시오.

> 조선 시대에도 죄를 지은 사람에게 형벌을 내릴 때는 세밀하게 조사하고 신중하게 결정하도록 했습니다. 특히 사형과 같은 형벌을 내릴 때는 세 번의 재판을 거치도록 했습니다.

9 ⊕ 11종 공통

윗글의 밑줄 친 제도를 무엇이라고 하는지 쓰시오.
(   )

10 ⊕ 11종 공통

윗글과 같이 형벌을 내릴 때 세 번의 재판을 거치도록 한 까닭을 알맞게 말한 친구를 골라 이름을 쓰시오.

> • 근아: 더 무거운 벌을 내리기 위해서야.
> • 형주: 많은 사람들에게 보여 주기 위해서야.
> • 미소: 피해를 본 사람을 보호하기 위해서야.
> • 준혁: 억울하게 벌을 받는 일이 없도록 하기 위해서야.

(   )

11 ● 11종 공통

다음에서 설명하는 제도가 무엇인지 쓰시오.

> 신분과 관계없이 억울한 일을 문서에 써서 임금에게 호소할 수 있었습니다.

(   )

12 ● 11종 공통

다음과 같이 다문화 가정 친구의 인권 보장이 필요한 사례에 해당하는 것은 어느 것입니까? (   )

대화가 통하지 않을 것 같아.

① 보살펴 줄 가족이 없어 외롭다.
② 몸이 아파도 병원에 갈 수 없다.
③ 놀이터가 없어 친구들과 놀 곳이 없다.
④ 피부색이나 외모가 달라 놀림을 받는다.
⑤ 도로에 점자 블록이 설치되어 있지 않아 혼자 다니기 어렵다.

13 ● 11종 공통

다음과 같은 상황에서 필요한 인권 보장을 위한 노력으로 알맞은 것은 어느 것입니까? (   )

> 민준이 삼촌은 시각 장애가 있습니다. 삼촌은 수영을 배우고 싶어 수영장을 찾았지만 건물에서 길을 찾지 못해 누군가의 도움이 필요했습니다.

① 수영장 건물에 음향 신호기를 설치한다.
② 수영장 건물에 휠체어 리프트를 설치한다.
③ 수영장 건물 바닥에 점자 블록을 설치한다.
④ 집에서 가까운 곳에 새로운 수영장을 짓는다.
⑤ 집에서 수영장까지 갈 수 있는 교통 시설을 늘린다.

14 서술형 ● 11종 공통

학교에서 다음 사진과 같이 인권 교육을 실시하는 까닭을 한 가지만 쓰시오.

_____

_____

15 ● 11종 공통

다음 밑줄 친 내용에 해당하는 사람을 보기 에서 두 명 골라 기호를 쓰시오.

> 모든 사람이 행복하게 살아가려면 인권 침해를 당하는 사람이 있는지 살펴보고, 이들의 인권을 보장하는 데 관심을 가져야 합니다.

보기

㉠ 안전 점검을 통과한 놀이터에서 즐겁게 놀고 있는 어린이
㉡ 피부색이 다르다고 친구들에게 놀림을 받는 다문화 가정의 어린이
㉢ 시각 장애인용 음향 신호기가 설치되어 있지 않아 가고 싶은 곳에 갈 수 없는 시각 장애인

(   )

[16-17] 다음 사진을 보고, 물음에 답하시오.

16 미래엔, 비상교과서 외

위 사진에 나타난 공공 편의 시설은 어느 것입니까?

( )

① 계단
② 육교
③ 횡단보도
④ 버스 정류장
⑤ 시각 장애인용 점자 안내도

17 서술형 미래엔, 비상교과서 외

위 사진과 같은 시설을 설치하여 운영하는 까닭을 쓰시오.

_____

_____

18 ➕ 11종 공통

다음에서 설명하는 것이 무엇인지 쓰시오.

> 국가와 지방 자치 단체가 국민이 빈곤, 질병, 생활 불안 등에서 벗어나 안정적으로 살 수 있도록 하기 위해 만든 제도입니다.

( )

19 ➕ 11종 공통

우리가 생활 속에서 실천할 수 있는 인권 보호 방법으로 알맞지 **않은** 것은 어느 것입니까? ( )

① 인권 캠페인 활동하기
② 인권을 주제로 한 작품 만들기
③ 상대방을 존중하는 말 사용하기
④ 인권 개선을 요구하는 편지 쓰기
⑤ 인권을 보호하는 법을 직접 만들어 시행하기

20 ➕ 11종 공통

다음과 같은 친구의 말에 대한 대답 중 인권을 존중하는 말로 알맞은 것은 어느 것입니까? ( )

> 내 꿈은 경찰관이야.

2 단원

✏ 빈칸에 알맞은 답을 쓰세요.

1 법 중에서 가장 기본이 되는 법으로, 우리나라 최고의 법은 무엇입니까?

2 헌법은 국민의 (   )을/를 보장하고자 국가 기관을 조직하고 운영하는 기본 원칙을 제시하고 있습니다.

3 헌법으로 보장되는 국민의 기본적인 권리를 (   )(이)라고 합니다.

4 (   )은/는 법이 헌법에 어긋나는지, 국가 권력이 국민의 권리를 침해하는지 등을 심판하는 곳입니다.

5 법을 공평하게 적용받아 차별받지 않을 권리를 (   )(이)라고 합니다.

6 (   )은/는 국가의 정치 의사 형성 과정에 참여할 수 있는 권리를 말합니다.

7 모든 국민이 나와 가족, 우리 모두이 안전을 위해 나라를 지킬 의무를 (   )의 의무라고 합니다.

8 부모님께서 세금을 납부하시는 것은 국민의 의무 중 무엇과 관련 있습니까?

9 쓰레기 분리수거를 하는 것은 (   )의 의무와 관련된 생활 모습입니다.

10 우리가 행복하게 살아가려면 헌법에 나타난 권리를 보장하고 의무를 (   )하는 것이 모두 필요합니다.

✏ 빈칸에 알맞은 답을 쓰세요.

1 헌법에는 대한민국 국민이 누려야 할 권리와 지켜야 할 (   )이/가 나타나 있습니다.

2 헌법의 내용을 새로 정하거나 고칠 때는 (   )을/를 해야 합니다.

3 헌법은 새로운 법을 만들 때 그 법이 국민의 (   )을/를 침해하지 못하도록 합니다.

4 국민의 기본권 중 인간답게 살 수 있도록 국가에 요구할 수 있는 권리는 무엇입니까?

5 국민이 원하는 직업을 선택할 수 있는 것은 (   )이/가 보장되기 때문입니다.

6 기본권은 국가의 안전 보장, 공공의 이익, 사회 질서 유지 등을 위해 필요한 경우 법률에 따라 (   )될 수도 있습니다.

7 헌법은 국민의 기본권을 보장하는 동시에 국민으로서 지켜야 하는 (   )도 정해 놓았습니다.

8 모든 국민은 자녀가 잘 성장할 수 있도록 (   )을/를 받게 할 의무가 있습니다.

9 부모님이 일을 하시는 것은 (   )의 의무와 관련된 생활 모습입니다.

10 권리와 의무 중 어느 하나만을 강조하는 것이 아니라 서로의 입장을 이해하고 공감하면서 권리와 의무의 (   )을/를 추구하는 태도가 필요합니다.

1 ⊕ 11종 공통

다음 중 헌법에 대한 설명으로 옳은 것에 모두 ○표 하시오.

(1) 여러 법을 바탕으로 헌법을 만들었습니다.

( )

(2) 헌법은 법 중에서 가장 기본이 되는 법입니다.

( )

(3) 헌법에서 제시한 국민의 권리는 국가가 함부로 침해할 수 없습니다. ( )

2 ⊕ 11종 공통

다음 밑줄 친 '이것'이 무엇인지 쓰시오.

- 이것은 국가의 중요한 일을 국민이 최종적으로 투표해 결정하는 제도입니다.
- 헌법의 내용을 새로 정하거나 고칠 때 이것을 해야 합니다.

( )

3 ⊕ 11종 공통

대한민국 헌법의 내용으로 알맞은 것을 보기 에서 모두 골라 기호를 쓰시오.

보기
㉠ 입법권은 행정부에 속한다.
㉡ 대한민국은 민주공화국이다.
㉢ 대한민국의 주권은 국민에게 있고, 모든 권력은 국민으로부터 나온다.
㉣ 모든 국민은 인간으로서의 존엄과 가치를 가지며, 행복을 추구할 권리를 가진다.

( )

4 ⊕ 11종 공통

다음 헌법 조항과 관련된 국민의 기본권은 무엇입니까? ( )

제24조 모든 국민은 법률이 정하는 바에 의하여 선거권을 가진다.
제25조 모든 국민은 법률이 정하는 바에 의하여 공무 담임권을 가진다.

① 사회권 ② 자유권
③ 참정권 ④ 청구권
⑤ 평등권

5 ⊕ 11종 공통

생활에서 평등권을 보장받은 사례로 알맞은 것은 어느 것입니까? ( )

① 원하는 직업을 자유롭게 선택할 수 있어요.
② 성별이나 장애에 차별받지 않고 동등하게 일할 수 있어요.

③ 억울한 일을 당하면 재판을 청구할 수 있어요.
④ 깨끗한 환경에서 생활할 수 있어요.

6 서술형 ⊕ 11종 공통

헌법이 보장하는 기본권이 법률에 따라 제한되는 때는 언제인지 쓰시오.

_____

_____

7 ➕ 11종 공통

다음 중 국방의 의무를 실천하고 있는 사람을 골라 ○표 하시오.

(1) ○○세무서

세금을 납부해요.

( )

(2) 군대에서 훈련을 받아요.

( )

8 ➕ 11종 공통

우리가 학교에서 공부할 수 있는 것과 관련된 기본권과 의무를 알맞게 짝지은 것은 어느 것입니까?

( )

① 사회권, 교육의 의무
② 사회권, 납세의 의무
③ 참정권, 교육의 의무
④ 청구권, 교육의 의무
⑤ 청구권, 근로의 의무

9 ➕ 11종 공통

다음 글에 나타난 제도의 시행과 관련된 권리는 무엇인지 보기 에서 골라 기호를 쓰시오.

> 청소년 보호법에 따라 16세 미만의 청소년들은 오전 0시부터 오전 6시까지 모든 온라인 게임 이용이 제한됩니다.

보기
㉠ 청소년이 건강하게 성장할 권리
㉡ 청소년이 자유롭게 공부할 권리
㉢ 청소년이 자신의 의견을 표현할 권리

( )

10 서술형 아이스크림, 천재교육 외

다음 글을 읽고, 땅 주인이 자신의 권리만을 주장할 경우 발생할 수 있는 문제점을 쓰시오.

> ○○시는 멸종 위기종이 발견된 지역을 생태 보호 지역으로 지정할 계획을 세우고 그 인근의 땅을 개발하지 못하도록 제한했습니다. 이 과정에서 땅 주인과 ○○시 사이에 의견이 충돌하고 있습니다.

2
단원

_____

_____

11 ➕ 11종 공통

권리와 의무의 관계에 대한 설명으로 옳지 <u>않은</u> 것은 어느 것입니까? ( )

① 권리와 의무의 조화가 필요하다.
② 권리와 의무는 서로 긴밀하게 연결되어 있다.
③ 어떤 상황에서도 권리보다 의무가 더 우위에 있다.
④ 권리와 의무는 서로의 입장에 따라 충돌할 때가 있다.
⑤ 권리의 보장과 의무의 실천 중 어느 하나만 강조할 수는 없다.

12 ➕ 11종 공통

권리와 의무가 충돌할 때 문제를 해결하기 위한 바람직한 자세를 알맞게 말한 친구를 골라 ○표 하시오.

(1) 권리와 의무를 조화시킬 수 있는 합리적인 해결 방안을 생각해야 해.

( )

(2) 국민의 의무보다 권리가 더 중요해.

( )

✏️ 빈칸에 알맞은 답을 쓰세요.

1 사회 질서를 유지하고 정의를 실현하기 위해 국가가 만든 사회 규범을 무엇이라고 합니까?

2 법은 사람들이 사회생활에서 지켜야 할 행동 기준으로서 이를 어겼을 때는 ( )을/를 받습니다.

3 '가게에서 돈을 내지 않고 물건을 가져가는 것'과 '이웃 어른을 보고 인사하지 않는 것' 중 법으로 제재를 받는 상황은 어느 것입니까?

4 음악, 영화, 출판물 등 창작물을 만든 사람의 권리를 보호하는 법을 무엇이라고 합니까?

5 「어린이 놀이 시설 안전 관리법」은 어린이가 안전하게 놀 수 있도록 ( )을/를 정기적으로 관리하는 법입니다.

6 우리 사회는 개인의 ( )을/를 보호하고 안정된 사회 질서를 유지하고자 법을 만들었습니다.

7 법은 안전하고 쾌적한 ( )에서 살아갈 수 있게 해 줍니다.

8 법을 어기는 행동은 사람들 간의 ( )을/를 유발합니다.

9 재판을 할 때 피고인을 대신해 권리를 주장하는 사람은 누구입니까?

10 법을 지키지 않으면 ( )이/가 유지될 수 없습니다.

✏️ 빈칸에 알맞은 답을 쓰세요.

1 사람들이 도로 위에서 반드시 지켜야 하는 규칙처럼 국가가 만든 강제성이 있는 규칙을 (   )(이)라고 합니다.

2 법이 사회의 (   )에 맞지 않거나 인권을 침해할 때에는 법을 바꾸거나 다시 만들 수 있습니다.

3 사람들이 양심에 따라 마땅히 지켜야 할 사회 규범을 무엇이라고 합니까?

4 법은 가정과 학교 등을 비롯해 (   ) 곳곳에 적용되고 있습니다.

5 「도로 교통법」은 사람과 자동차가 (   )에서 안전하게 다닐 수 있도록 만든 법입니다.

6 개인의 (   )이/가 침해되었을 때 법을 통해 구제받을 수 있습니다.

7 사고나 범죄로부터 사람들을 보호하고 안전하게 지켜 주는 법의 역할은 무엇입니까?

8 법을 (   ) 행동은 다른 사람에게 피해를 주고 다른 사람의 권리를 침해합니다.

9 법을 지키지 않을 때는 (   )을/를 해 타인에게 피해를 준 사람의 권리를 제한하기도 합니다.

10 법을 지키면 다른 사람의 (   )을/를 보호하고 나의 (   )도 보호할 수 있습니다.

1 아이스크림, 천재교육 외

다음 도로 위에서 지켜야 할 규칙을 어겼을 때 벌어질 수 있는 일은 무엇입니까? (   )

> • 파란불일 때 횡단보도 건너기
> • 횡단보도에서는 자전거에서 내려서 걷기

① 자동차 수가 늘어난다.
② 자동차의 기능이 다양해진다.
③ 사람들 간의 다툼이 줄어든다.
④ 목적지까지 안전하게 갈 수 있다.
⑤ 도로가 혼란스러워 교통사고가 날 수 있다.

2 ➕ 11종 공통

법에 대한 설명으로 옳지 <u>않은</u> 것은 어느 것입니까?
(   )

① 강제성은 없다.
② 어겼을 때는 제재를 받는다.
③ 모든 사회 구성원에게 적용된다.
④ 사회의 질서를 유지하고 사람들의 안전을 지켜 주기 위해 만들었다.
⑤ 사회의 변화에 맞지 않거나 인권을 침해할 때에는 바꾸거나 다시 만들 수 있다.

3 ➕ 11종 공통

다음 ㉠, ㉡에 해당하는 사회 규범을 각각 쓰시오.

> ㉠ 국가가 만든 강제성이 있는 규범
> ㉡ 양심에 따라 자율적으로 지키는 사회 규범

㉠ (   ), ㉡ (   )

4 서술형 ➕ 11종 공통

도덕과 같은 사회 규범과 법의 다른 점은 무엇인지 쓰시오.

_____

_____

_____

5 ➕ 11종 공통

다음 보기 를 법으로 제재를 받는 상황과 그렇지 않는 상황으로 구분하여 기호를 쓰시오.

보기
㉠ ▲ 도서관에서 시끄럽게 떠드는 것
㉡ ▲ 다른 사람의 물건을 가져가는 것
㉢ ▲ 길거리에서 쓰레기를 함부로 버리는 것
㉣ ▲ 이웃 어른을 보고 인사하지 않는 것

(1) 법으로 제재를 받는 상황: (   )
(2) 법으로 제재를 받지 않는 상황: (   )

6 ✚ 11종 공통

일상생활에 적용되는 법을 선으로 알맞게 연결하시오.

(1) 아이가 태 어나면 •

(2) 일정한 나 이가 되면 •

• ㉠ 학교에 입학 하는 것

• ㉡ 출생 신고를 하는 것

7 아이스크림, 천재교육 외

다음에서 설명하는 법을 보기 에서 골라 기호를 쓰시오.

보기 ●
㉠ 「소비자 기본법」
㉡ 「어린이 놀이 시설 안전 관리법」
㉢ 「어린이 식생활 안전 관리 특별법」
㉣ 「학교 폭력 예방 및 대책에 관한 법률」

(1) 소비자의 권리와 이익을 보호하려고 만든 법

(   )

(2) 학생들 사이에 발생하는 폭력을 예방하며 그 피해 를 해결해 주는 법

(   )

8 비상교육, 천재교과서 외

다음 (   ) 안에 들어갈 알맞은 말을 쓰시오.

학교에 영양 교사를 꼭 두어 균형 잡힌 식단을 짜 도록 하고, 식재료를 엄격하게 관리하는 기준을 정 해 놓은 「학교 (   )」이/가 있습니다.

(   )

9 미래엔, 아이스크림 외

다음 신문 기사의 (   ) 안에 들어갈 알맞은 법은 무엇입니까? (   )

○○신문   20△△년 △△월 △△일

(   )을 위반한 놀이 시설 적발

정부는 가을 신학기를 맞아 유치원과 초등학교 의 놀이 시설을 점검하였습니다. 총 350개의 놀 이 시설을 점검한 결과 안전에 우려가 있는 33개 의 놀이 시설을 발견하여 수리와 보완 조치를 실 시할 예정입니다.

① 「저작권법」   ② 「도로 교통법」
③ 「식품 위생법」   ④ 「자연환경 보전법」
⑤ 「어린이 놀이 시설 안전 관리법」

10 비상교육, 천재교과서 외

개인 정보를 보호해 주는 법이 없을 때 발생할 수 있 는 일을 보기 에서 골라 기호를 쓰시오.

보기 ●
㉠ 나라 간의 다툼을 해결해 줄 수 없다.
㉡ 환경 오염으로부터 보호받을 수 없다.
㉢ 나의 개인 정보가 다른 사람에게 함부로 알려질 수 있다.
㉣ 물건을 구입하는 과정에 피해가 발생해도 보상 을 받기 어렵다.

(   )

11 ⊕ 11종 공통

우리 생활에서 법이 필요한 까닭을 두 가지 고르시오. (　,　)

① 사회 질서를 유지하기 위해서
② 개인의 권리를 제한하기 위해서
③ 개인의 의무를 강요하기 위해서
④ 개인의 생명이나 재산을 보호하기 위해서
⑤ 모든 사람이 생각하는 대로 자유롭게 행동하기 위해서

12 서술형 ⊕ 11종 공통

다음 대화의 밑줄 친 내용을 통해 알 수 있는 법의 역할을 쓰시오.

- 음식점 주인: 이번 달은 장사가 잘 안 되었으니 이 정도 돈만 받아요.
- 음식점 종업원: 약속한 만큼이 아니잖아요. 법에 따라 재판을 해서 정당한 대가를 받겠어요.

_____

_____

13 ⊕ 11종 공통

오른쪽 사진과 관련 있는 법의 역할은 무엇입니까?
(　)

① 개인 정보를 보호해 준다.
② 범죄로부터 안전하게 지켜 준다.
③ 환경 파괴와 오염을 예방해 준다.
④ 개인의 생명이나 재산을 보호해 준다.
⑤ 개인의 권리가 침해되었을 때 구제받을 수 있도록 해 준다.

14 서술형　비상교육, 천재교과서 외

다음 사진을 통해 알 수 있는 법의 역할을 쓰시오.

_____

_____

15 ⊕ 11종 공통

다음 중 법의 역할을 잘못 말한 친구는 누구입니까?
(　)

① 분쟁이 발생하면 법에 따라 재판을 하여 해결해 줘.

② 범죄로부터 안전하게 지켜 줘.

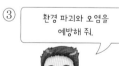

③ 환경 파괴와 오염을 예방해 줘.

④ 법을 어긴 사람의 권리도 무조건 보장해 줘.

16 ➕ 11종 공통

다음 (   ) 안에 들어갈 알맞은 말을 쓰시오.

> 법을 어기는 행동은 다른 사람에게 피해를 주고 다른 사람의 (   )을/를 침해하며 사람들 간의 갈등을 유발합니다.

(   )

17 ➕ 11종 공통

법을 지키지 않아서 다른 사람에게 피해를 주거나 사람들 간에 갈등이 발생하는 경우가 <u>아닌</u> 것은 어느 것입니까? (   )

① 교통신호를 지키지 않는 경우
② 하천에 폐수를 몰래 버리는 경우
③ 금역 구역에서 담배를 피우는 경우
④ 친구와 만나기로 한 약속을 어긴 경우
⑤ 학교 앞 도로에서 무단 횡단을 하는 경우

18 서술형 동아출판, 천재교육 외

다음과 같은 행동으로 인해 발생할 수 있는 일을 쓰시오.

> 어떤 사람이 쓰레기를 버리지 말라고 써 있는 어느 집 담벼락에 쓰레기를 몰래 버렸습니다.

_____

19 미래엔, 아이스크림 외

재판을 할 때 다음과 같은 판사의 역할은 무엇입니까? (   )

> 피고인이 전에도 같은 행동으로 처벌을 받은 점, 범행으로 이익을 얻은 점, 현재 잘못을 반성하고 있는 점을 고려해 다음과 같이 판결을 선고한다.
> 피고인을 벌금 500만 원에 처한다.

① 법을 고치거나 새로 만든다.
② 범죄를 저질러 의심을 받는다.
③ 재판을 진행하고 판결을 내린다.
④ 피고인을 대신해 권리를 주장한다.
⑤ 법을 위반한 점에 대해 심판을 요청한다.

20 ➕ 11종 공통

다음은 효정이가 사회 시간에 배운 내용을 정리한 것입니다. (   ) 안에 들어갈 제목으로 알맞은 것은 어느 것입니까? (   )

> (   )
> • 개인의 권리를 보호하고 사회 질서를 유지하기 위해서입니다.
> • 다른 사람의 권리를 보호하고 나의 권리도 보호할 수 있기 때문입니다.

① 법의 의미
② 법을 지켜야 하는 까닭
③ 우리 생활에 적용되는 법
④ 사람들 간의 다툼을 해결하는 방법
⑤ 법을 지키지 않을 때 일어날 수 있는 일

1 ⊕ 11종 공통

다음 (   ) 안에 들어갈 알맞은 말을 쓰시오.

> 모든 사람은 태어나면서부터 인간답게 살 권리가 있으며, 어떤 이유로도 인간답게 살 권리를 침해당해서는 안 됩니다. 이처럼 사람이기 때문에 당연히 누리는 권리를 (   )(이)라고 합니다.

(   )

2 ⊕ 11종 공통

다음 중 인권에 대한 설명으로 알맞지 <u>않은</u> 것은 어느 것입니까? (   )

① 태어나면서부터 갖는 권리이다.
② 사람으로서 인간답게 살 권리이다.
③ 어린이나 노인의 인권은 빼앗아도 된다.
④ 사람이기 때문에 당연히 누리는 권리이다.
⑤ 인권은 모든 사람에게 평등하게 보장된다.

3 ⊕ 11종 공통

다음과 같은 내용의 소설을 통해 당시 신분 제도를 비판하며 백성들의 인권 신장을 위해 노력했던 인물의 이름을 쓰시오.

어디서 감히 아버지라고 하느냐!

어찌하여 아버지를 아버지라고 부르지 못하는지요?

(   )

4 비상교과서, 지학사 외

다음 (   ) 안에 들어갈 알맞은 말을 쓰시오.

> • 이태영은 우리나라 최초의 여성 변호사로, 억울한 일을 당한 여성들의 법률 상담을 무료로 해 주었습니다.
> • 여성의 (   )을/를 차별하는 가족법을 바꾸는 일에 앞장섰습니다.

(   )

5 ⊕ 11종 공통

인권 신장을 위한 옛날의 제도가 <u>아닌</u> 것은 어느 것입니까? (   )

① 봉수   ② 격쟁
③ 삼복제   ④ 상언 제도
⑤ 신문고 제도

6 ⊕ 11종 공통

다음 (   ) 안에 들어갈 알맞은 말은 무엇입니까?

(   )

> 조선 시대에 백성들은 억울한 일이 있을 때 대궐 밖에 설치된 (   )을/를 쳐서 임금에게 알릴 수 있었습니다.

① 문   ② 북   ③ 종
④ 시계   ⑤ 꽹과리

7 ⊕ 11종 공통

다음 중 장애인을 위한 공공 편의 시설이 <u>아닌</u> 것은 어느 것입니까? (   )

①
▲ 점자 블록

②
▲ 점자 안내도

③
▲ 횡단보도

④
▲ 음향 신호기

8 ⊕ 11종 공통

다음 중 헌법에 담긴 내용이 <u>아닌</u> 것은 어느 것입니까? (   )

① 국민이 누려야 할 권리가 나타나 있다.
② 국민이 지켜야 할 의무가 나타나 있다.
③ 우리나라 역대 대통령의 이름이 나타나 있다.
④ 모든 국민이 존중받고 행복한 삶을 살아가는 데 필요한 내용을 담고 있다.
⑤ 국민의 권리를 보장하고자 국가 기관을 조직하고 운영하는 기본 원칙을 제시하고 있다.

9 ⊕ 11종 공통

헌법에 나타난 국민의 기본권에 대한 설명으로 옳은 것에 ○표, 옳지 않은 것에 ×표 하시오.

(1) 어떤 경우에도 법률에 따라 제한될 수 없다.
(   )

(2) 헌법으로 보장되는 국민의 기본적인 권리이다.
(   )

(3) 국민으로서 어떠한 행동을 꼭 해야 하는 것을 뜻한다.
(   )

10 ⊕ 11종 공통

다음 헌법 조항에서 보장하는 국민의 기본권을 쓰시오.

> 제14조 모든 국민은 거주 이전의 자유를 가진다.
> 제15조 모든 국민은 직업 선택의 자유를 가진다.

(   )

11 서술형 ⊕ 11종 공통

다음은 사람들이 일상생활에서 환경 보전의 의무를 실천하는 모습입니다. 이와 같은 사례를 한 가지만 더 쓰시오.

_____

_____

12 ➕ 11종 공통

다음 중 국방의 의무를 실천하고 있는 사람은 누구입니까? (   )

① 세금을 납부하는 부모님
② 회사에서 열심히 일하는 삼촌
③ 학교에서 우리를 가르치는 선생님
④ 군대에서 훈련을 받고 있는 사촌 오빠
⑤ 자녀를 학교에 보내 교육을 받게 하는 부모님

13 아이스크림, 천재교육 외

다음 글을 읽고, 어떤 권리와 의무가 충돌하고 있는지 알맞게 짝지어진 것을 고르시오. (   )

이곳은 제 땅입니다. 개인의 땅을 개발하지 못하게 하는 것은 저의 권리를 침해한다고 생각해요.

멸종 위기에 처한 동물을 보호하려면 이 지역을 생태 보호 지역으로 지정해야 해요.

○○시는 멸종 위기종이 발견된 지역을 생태 보호 지역으로 지정할 계획을 세우고 그 인근의 땅을 개발하지 못하도록 제한했습니다. 이 과정에서 땅 주인과 ○○시 사이에 의견이 충돌하고 있습니다.

	권리	의무
①	자유권	환경 보전의 의무
②	참정권	환경 보전의 의무
③	청구권	국방의 의무
④	평등권	납세의 의무
⑤	행복 추구권	근로의 의무

14 서술형 ➕ 11종 공통

다음 내용을 통해 알 수 있는 법의 특징을 쓰시오.

전동 킥보드를 타는 사람들이 많아지고, 전동 킥보드 사고가 늘어났습니다.

⬇

전동 킥보드를 탈 때는 안전모를 쓰고, 전동 킥보드 면허가 있어야 탈 수 있도록 법이 바뀌었습니다.

_____

_____

15 ➕ 11종 공통

법으로 제재를 받지 않는 상황을 말한 친구는 누구입니까? (   )

①
교통 신호를 지키지 않았어.

②
인터넷에서 악성 댓글을 썼어.

③
사촌 언니와 크게 다투었어.

④
가게에서 돈을 내지 않고 물건을 가져갔어.

16 비상교육, 아이스크림 외

다음 설명과 관련 있는 법은 어느 것입니까?

( )

어린이가 안전하게 놀 수 있도록 정기적으로 놀이 시설을 관리하는 법입니다.

① 「저작권법」
② 「식품 위생법」
③ 「장애인 차별 금지법」
④ 「어린이 놀이 시설 안전 관리법」
⑤ 「어린이 식생활 안전 관리 특별법」

17 아이스크림, 천재교육 외

다음 중 일상생활에서 적용되는 법의 사례가 <u>아닌</u> 것은 어느 것입니까? ( )

①
▲ 학교에서 수업을 듣는 것

②
▲ 교통사고의 위험 없이 안전 하게 집으로 가는 것

③
▲ 무거운 짐을 들고 있는 사람의 짐을 들어 주는 것

④
▲ 좋아하는 영화를 합법 적으로 내려받아 보는 것

18 ➕ 11종 공통

다음과 관련 있는 법의 역할로 가장 알맞은 것은 어느 것입니까? ( )

매일 동네를 순찰합니다.

① 개인 정보를 보호해 준다.
② 환경 오염을 방지해 준다.
③ 범죄로부터 사람들을 안전하게 지켜준다.
④ 개인과 기업 간 발생한 분쟁을 해결해 준다.
⑤ 화재가 난 상황에서 개인의 생명을 구조해 준다.

19 미래엔, 아이스크림 외

다음은 재판에 등장하는 사람들의 역할을 정리한 표입니다. ㉠, ㉡에 들어갈 알맞은 말을 각각 쓰시오.

㉠	재판을 진행하고 법에 따라 판결을 내리는 사람
피고인	범죄를 저지른 것으로 의심이 되어 재판을 받는 사람
㉡	법을 위반한 점에 대해 심판을 요청하는 사람
변호인	피고인을 대신해 권리를 주장하는 사람

㉠ ( ), ㉡ ( )

20 서술형 ➕ 11종 공통

법을 지키지 않은 행동에 대해서 재판을 하는 까닭을 쓰시오.

_____

_____

평가 주제	인권이 침해된 사례와 인권 보장을 위한 노력 알아보기
평가 목표	인권 침해 사례를 파악하고 인권 보장을 위한 노력을 설명할 수 있다.

[1-3] 다음은 우리 주변에서 인권이 침해된 사례를 조사해 정리한 것입니다. 물음에 답하시오.

> ㉠ 어린이가 자유롭게 놀 곳이 필요해요.
> 안전 점검을 통과하지 못한 놀이터가 1년이 지나도록 고쳐지지 않고 방치되어 어린이들이 놀 수 있는 곳이 없습니다.

> ㉡ 외모로 놀리지 않았으면 좋겠어요.
> ○○○는 한국인 아버지와 외국인 어머니 사이에서 태어났습니다. 가끔 짓궂은 친구들이 외모를 놀려 속상한 일이 생깁니다.

> ㉢ 가고 싶은 곳에 가기 힘들어요.
> 시각 장애가 있는 □□□의 삼촌은 혼자서 수영장에 가는 것이 힘든 일입니다. 수영장 건물에는 점자 블록이 설치되어 있지 않아 길을 찾으려면 누군가의 도움이 필요합니다.

> ㉣ 병원에 편하게 다니고 싶어요.
> △△△ 할머니는 다리가 불편해 병원에 다니는 일이 힘듭니다. 비싼 택시를 대신해 노인이 편하게 이용할 수 있는 교통수단이 없어서 아파도 참고 집에 있을 때가 많습니다.

1 위 ㉠~㉣ 중 외모나 피부색이 다르다는 이유로 인권이 침해된 사례를 골라 기호를 쓰시오.

(   )

2 위 ㉠에서 어린이들이 겪고 있는 인권 침해의 모습과 관련해 (   ) 안에 들어갈 알맞은 말을 쓰시오.

> 놀이터가 고쳐지지 않고 방치되어 어린이들의 안전하게 (   )을/를 침해받고 있습니다.

(   )

3 위 ㉢의 사례와 관련해 인권 보장을 위해 노력하는 모습을 쓰시오.

_____

_____

● 정답과 풀이 32쪽

평가 주제 ▶ 법을 지켜야 하는 까닭 알아보기

평가 목표 ▶ 법을 어겼을 때 발생할 수 있는 문제점을 알고, 법을 지켜야 하는 까닭을 설명할 수 있다.

2 단원

[1-2] 다음은 법을 어긴 상황을 나타낸 그림입니다. 물음에 답하시오.

ㄱ 소방차 전용 주차 구역에 불법 주차를 했습니다.

ㄴ 공장에서 폐수를 정화하지 않고 몰래 인근 하수구에 흘려 보냈습니다.

1 위 ㉠, ㉡에 나타난 법을 어긴 행동으로 발생할 수 있는 일을 각각 쓰시오.

㉠

㉡

2 위와 같이 법을 지키지 않는 행동이 우리 사회에 미치는 영향을 쓰시오.

_____

_____

_____

3 법을 잘 지켜야 하는 까닭을 두 가지 쓰시오.

_____

_____

여기까지 온 너,
이미 넌 백점이야

초등 고학년을 위한 중학교 필수 영역 **초고필**

초등학교   학년   반   번   이름

강의가 더해진, 교과서 맞춤 학습

백점

사회 5·1

친절한 해설북

● 한눈에 보이는 **정확한 답**
● 한번에 이해되는 **자세한 풀이**

모바일
빠른 정답

동아출판

친절한 해설북 구성과 특징

1 자료 다시 보기
· 문제와 관련된 자료를 다시 한번 확인하면서 학습 내용에 대해 깊이 있게 이해할 수 있습니다.

2 서술형 채점 TIP
· 서술형 문제 풀이에는 채점 기준과 채점 TIP을 구체적으로 제시하고 있습니다. 또한 '이런 답도 가능해!'를 통해 다양한 예시 답안을 확인할 수 있습니다.

차례

백점 사회 빠른 정답

QR코드를 찍으면 **정답과 해설**을 쉽고 빠르게 확인할 수 있습니다.

모바일
빠른 정답

1. 국토와 우리 생활

① 우리 국토의 위치와 영역 (1)

7쪽   기본 개념 문제

1 적도   2 경도   3 동   4 ○   5 ×

8쪽~9쪽   문제 학습

1 ㉠ 적도 ㉡ 본초 자오선   2 ⑩ 지구본과 세계지도를 통해 우리나라의 위치를 살펴볼 수 있습니다.   3 동   4 반도   5 ②   6 유리   7 ⑤
8 지송   9 ⑩ 우리나라는 북위 33°~43°, 동경 124°~132° 사이에 있습니다.   10 ㉡   11 ①, ④
12 아시안 하이웨이

1 위도는 적도를 기준으로 북위와 남위로 나누어 나타내고, 경도는 본초 자오선을 기준으로 동경과 서경으로 나누어 지도나 지구본에서 위치를 나타냅니다.

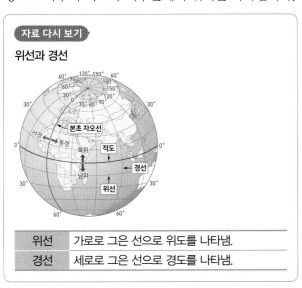

자료 다시 보기

위선과 경선

| 위선 | 가로로 그은 선으로 위도를 나타냄. |
| 경선 | 세로로 그은 선으로 경도를 나타냄. |

2 우리 국토는 국민들의 삶의 터전입니다. 국토의 위치를 파악하는 것은 그 나라의 자연환경이나 주변 나라와의 관계를 이해하는 데 도움이 됩니다.

채점 tip 지구본, 세계지도 등을 통해 우리나라의 위치를 살펴볼 수 있다고 썼으면 정답으로 합니다.

3 우리 국토는 아시아 대륙의 동쪽에 위치해 있습니다.

4 우리나라는 대륙에서 바다 쪽으로 길게 내민 반도로, 삼면이 바다로 둘러싸이고 한 면은 육지에 이어져 있습니다.

5 ①, ③ 우리나라는 삼면이 바다로 둘러싸이고 한 면은 육지에 이어진 반도입니다. ④ 우리 국토는 적도보다 위쪽인 중위도에 있습니다.

6 우리나라는 대륙과 해양으로 접근하기 쉽다는 위치적 장점을 가지고 있습니다.

7 우리나라 주변에는 중국, 일본, 러시아, 몽골 등의 나라가 있습니다.

자료 다시 보기

우리나라와 우리나라 주변에 있는 나라들의 위치 특징
• 주변이 모두 육지인 나라: 몽골
• 주변이 모두 바다인 나라: 일본
• 육지와 바다 모두 접한 나라: 우리나라

8 우리나라는 북쪽으로는 대륙과 연결되어 있고, 삼면이 바다로 둘러싸여 대륙과 해양으로 진출하는 데 유리합니다.

9 위도와 경도를 이용하면 우리나라의 위치를 숫자로 나타낼 수 있습니다.

채점 tip 북위 33°~43°, 동경 124°~132° 사이에 있다고 썼으면 정답으로 합니다.

10 ㉠ 우리나라는 한 면이 대륙에 접해 있습니다. ㉡ 우리나라는 삼면이 바다와 맞닿아 있어 해양으로 나아가기 편리합니다.

11 ② 우리 국토는 아시아 대륙의 동쪽에 위치합니다. ③ 우리나라 주변에는 러시아, 몽골, 일본, 중국 등의 나라가 있습니다. ⑤ 우리 국토는 북위 33°~43°, 동경 124°~132° 사이에 위치해 있습니다.

12 아시안 하이웨이가 연결되면 우리나라에서 유럽까지 가는 데 지금보다 시간적으로 가까워지게 될 것입니다.

자료 다시 보기

아시안 하이웨이

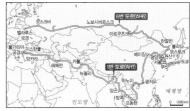

아시안 하이웨이는 아시아의 32개 나라를 연결하는 도로로, 우리나라에는 1번 도로(AH1)와 6번 도로(AH6)가 통과할 예정입니다.

1 우리 국토의 위치와 영역 (2)

11쪽 기본 개념 문제

1 영역 2 영토 3 × 4 비무장 지대 5 동쪽

12쪽~13쪽 문제 학습

1 영역 2 (1) ㉠ (2) ㉢ (3) ㉡ 3 ㉣ 4 ②
5 ①, ⑤ 6 예 우리나라 영토 주변의 바다로, 영
해를 설정하는 기준선으로부터 12해리(약 22km)까
지입니다. 7 바깥에 8 ㉠, ㉣ 9 독도 10 ②
11 비무장 지대 12 예 비무장 지대는 한반도의 평
화와 생태계 보전의 중요성을 생각해 보게 하는 장
소입니다.

1 한 나라의 영역은 영토, 영해, 영공으로 이루어지며,
영토는 땅, 영해는 바다, 영공은 하늘에서의 영역
입니다.

2 영역은 한 나라의 주권이 미치는 범위를 말하며 영토
(땅), 영해(바다), 영공(하늘)으로 이루어집니다.

3 우리나라 영토의 남쪽 끝은 제주특별자치도 서귀포시
마라도입니다.

> **자료 다시 보기**
>
> **영토의 끝**
> • 동쪽 끝: 경상북도 울릉군 독도
> • 서쪽 끝: 평안북도 용천군 마안도
> • 남쪽 끝: 제주특별자치도 서귀포시 마라도
> • 북쪽 끝: 함경북도 온성군 유원진

4 현재 우리나라는 남한과 북한이 나뉘어 있지만, 우
리나라 영토의 끝을 이야기할 때에는 북한을 포함
해 말합니다. ①은 동쪽 끝, ②는 북쪽 끝, ③은 서
쪽 끝, ⑤는 남쪽 끝입니다.

5 ② 영토에 대한 설명입니다. ③ 우리나라의 영해는
영해를 설정하는 기준선으로부터 12해리까지입니다.
④ 동해안은 썰물일 때의 해안선을 기준으로 합니다.

> **자료 다시 보기**
>
> **우리나라의 영해**
> • 동해안, 제주도, 울릉도, 독도: 썰물일 때의 해안선을 기준으
>   로 함.
> • 서해안과 남해안: 가장 바깥에 위치한 섬들을 기준으로 함.

6 동해안과 제주도, 울릉도, 독도는 썰물일 때의 해안
선을 기준으로 하고, 서해안과 남해안은 가장 바깥
에 위치한 섬들을 직선으로 이은 선을 기준으로 영
해를 정합니다.

채점 기준	상	우리나라 영토 주변의 바다로, 기준선으로부터 12해리까 지라고 쓴 경우
	중	우리나라 영토 주변의 바다라고만 쓴 경우

7 서해안과 남해안은 해안선이 복잡하고 섬이 많아서
가장 바깥에 있는 섬들을 직선으로 이은 선을 기준
으로 합니다.

8 ㉡ 우리나라의 영토에 해당하는 설명입니다. ㉢ 다른
나라 비행기는 우리나라의 영공에 허가 없이 함부
로 들어올 수 없습니다.

9 독도는 우리 국토의 동쪽 끝에 위치한 우리나라의
영토입니다. 우리나라 사람들은 독도에 직접 방문
하거나 독도 관련 행사에 참여하는 등 다양한 방법
으로 독도 사랑을 실천하고 있습니다.

10 ② 독도는 우리나라 사람들이 살고 있고, 우리나라의
고유한 역사와 문화가 담겨 있는 우리나라의 영토
입니다.

11 비무장 지대는 전 세계에서 유일하게 우리나라에만
있으며 분단의 비극과 평화, 생태계 복원의 장소로
주목받고 있습니다.

> **자료 다시 보기**
>
> **비무장 지대**
>
>
>
> 비무장 지대 주변은 생태계가 보존되어 그 가치를 새롭게 인
> 정받고 있습니다. 최근 도라 전망대, 제3땅굴, 두타연 계곡 등
> 을 보려고 이곳을 찾는 사람들이 늘어나면서 한반도의 평화
> 와 생태계 보전의 중요성을 다시 한 번 생각해 보게 합니다.

12 비무장 지대 주변은 오랫동안 사람들의 발길이 닿
지 않으면서 생태계가 보존되어 그 가치를 새롭게
인정받고 있습니다.

> **채점 tip** 한반도의 평화와 생태계 보전의 중요성을 생각해 보게
> 하는 장소라고 썼으면 정답으로 합니다.

❶ 우리 국토의 위치와 영역 (3)

15쪽 기본 개념 문제

1 자연환경 **2** 경기 **3** ○ **4** × **5** 특별자치시

16쪽~17쪽 문제 학습

1 ② **2** ③ **3** 경기 **4** ⑤ **5** 예 조령 고개의 남쪽에 있어서 '영남'이라고 합니다. **6** 리나 **7** 행정 구역 **8** (1) 상주 (2) 청주 **9** 예 강원도는 강릉의 '강' 자와 원주의 '원' 자를 따서 지역의 명칭을 정했습니다. **10** 서울특별시 **11** ④ **12** ⑤

1 남북으로 긴 우리나라는 큰 산맥과 하천을 중심으로 북부, 중부, 남부 지방으로 구분할 수 있습니다. 북부 지방은 지금의 북한 지역을 말합니다.

자료 다시 보기

북부, 중부, 남부 지방으로 구분하기

북부 지방	지금의 북한 지역을 말함.
중부 지방	휴전선 남쪽부터 소백산맥과 금강 하류가 만나는 선까지임.
남부 지방	중부 지방의 남쪽 지역을 말함.

2 우리나라는 오래전부터 산이나 호수, 강, 바다, 제방 등의 자연환경을 기준으로 지역을 구분했습니다.

3 '경기'는 왕이 사는 도읍의 주변 지역을 뜻합니다. 관서 지방은 철령관을 기준으로 서쪽 지방을 말합니다.

4 ① 관동 지방의 서쪽에 있습니다. ② 해서 지방은 지금의 북한 지역에 있는 지방입니다. ③ 호남 지방에 대한 설명, ④ 관북 지방에 대한 설명입니다.

5 영남 지방은 조령 고개의 남쪽에 있어서 붙은 이름입니다.

채점 기준	상	조령 고개의 남쪽에 있다고 정확히 쓴 경우
	중	조령 고개와 관련 있다고만 쓴 경우

6 금강의 남쪽 지방을 호남 지방, 철령관을 기준으로 서쪽 지방을 관서 지방이라고 합니다.

7 우리 국토를 자연환경 이외에 행정 구역으로 지역을 구분하기도 합니다. 나라를 효율적으로 관리하기 위해 행정 구역별로 나눕니다.

8 지금 우리가 사용하는 행정 구역은 조선 시대 초기에 정해졌습니다. 조선 시대에는 전국을 8개의 도로 나누어 나라를 관리했습니다.

자료 다시 보기

각 도의 이름이 정해지는 데 쓰인 지역의 중심 도시

충청도	충주＋청주
강원도	강릉＋원주
경상도	경주＋상주
전라도	전주＋나주

9 각 도의 명칭을 정할 때는 대부분 그 지역의 중심 도시 이름을 따서 정했습니다.

채점 tip 강릉의 '강' 자와 원주의 '원' 자를 따서 지역의 명칭을 정했다고 썼으면 정답으로 합니다.

10 우리나라는 북한 지역을 제외하면 특별시 1곳과 특별자치시 1곳, 광역시 6곳, 도 8곳과 특별자치도 1곳으로 이루어져 있습니다.

자료 다시 보기

우리나라의 행정 구역

특별시(1곳)	서울특별시
특별자치시(1곳)	세종특별자치시
광역시(6곳)	인천광역시, 대전광역시, 대구광역시, 광주광역시, 울산광역시, 부산광역시
도(8곳)	경기도, 강원도, 충청북도, 충청남도, 전라북도, 전라남도, 경상북도, 경상남도
특별자치도(1곳)	제주특별자치도

11 ④ 경상북도의 도청이 있는 지역은 안동입니다. 도청은 도와 특별자치도의 행정 업무를 담당하는 곳입니다.

12 ⑤ 특별자치시는 세종특별자치시 1곳이 있고, 특별자치도는 제주특별자치도 1곳이 있습니다.

2 우리 국토의 자연환경 (1)

19쪽 기본 개념 문제

1 지형 2 × 3 ○ 4 해안 5 동해안

20쪽~21쪽 문제 학습

1 섬 2 ④ 3 (1) × (2) ○ (3) ○ 4 ⑩ 우리나라는 대체로 동쪽이 높고 서쪽이 낮은 지형이 나타나기 때문에 대부분 큰 하천이 동쪽에서 서쪽으로 흘러갑니다. 5 ② 6 다목적 댐 7 ㉡, ㉢ 8 평야 9 동해안 10 ㉠ 11 (2) ○ (3) ○ 12 ⑩ 해안 지역은 배를 이용해 다른 곳으로 이동하기 편리하고 교류가 활발하여 항구 도시가 발달했습니다.

1 우리나라에는 산지, 하천, 평야, 해안, 섬 등 다양한 지형이 나타납니다.

> **자료 다시 보기**
>
> **우리나라에서 볼 수 있는 다양한 지형**
>
> | 산지 | 높이 솟은 산들이 모여 이룬 지형으로, 하천과 평야의 발달에도 영향을 줌. |
> |---|---|
> | 하천 | 빗물과 지하수가 낮은 곳으로 흘러가면서 만든 크고 작은 물줄기를 말함. |
> | 평야 | 하천 주변에 넓고 평탄한 땅으로, 사람들이 모여 삶. |
> | 해안 | 바다와 육지가 만나는 곳으로, 갯벌이나 모래사장이 있음. |
> | 섬 | 바다로 둘러싸인 땅으로, 우리나라에는 약 3,300여 개의 섬이 있음. |

2 산지는 높이 솟은 산들이 모여 이룬 지형으로 땅의 높이가 높은 곳과 낮은 곳의 차이가 큽니다. ①은 해안, ②는 섬, ③은 평야, ⑤는 갯벌에 대한 설명입니다.

3 (1) 우리나라는 국토의 약 70%가 산지입니다. 높고 험한 산지는 대부분 북동쪽에 많으며, 동고서저 지형입니다.

4 한강, 금강, 영산강 등의 큰 하천은 높은 지형이 있는 동쪽에서 낮은 지형이 있는 서쪽으로 흘러갑니다.

> **채점 tip** 우리나라는 대체로 동쪽이 높고 서쪽이 낮은 지형이 나타나기 때문이라고 썼으면 정답으로 합니다.

> **자료 다시 보기**
>
> **우리나라 지형의 특징**
>
> 대체로 동쪽이 높고 서쪽이 낮은 동고서저의 지형임.
>
> ↓
>
> 큰 하천은 대부분 동쪽에서 서쪽으로 흘러감.
>
> ↓
>
> 비교적 낮은 평야가 서쪽에 발달함.

5 사람들은 하천 중·하류 주변 평야에서 논농사를 많이 짓습니다. 또한 평야가 넓게 펼쳐진 곳에는 사람들이 많이 모여 사는 도시가 발달했습니다.

6 다목적 댐은 하천 중·상류에 물을 막는 둑을 쌓아 홍수와 가뭄을 예방하고 전기를 생산하는 등 다양한 목적을 위해 건설합니다.

7 ㉠ 항구 도시나 공업 도시는 배를 이용하여 다른 곳으로 이동하기 편리한 해안 지역에 발달합니다.

8 평야는 하천 주변에 넓고 평탄한 땅으로, 사람들이 모여 삽니다.

9 동해안은 해안선이 비교적 단조롭다는 특징이 있습니다. 동해안은 길게 뻗은 모래사장이 펼쳐진 곳이 많아 해수욕장이 발달합니다.

> **자료 다시 보기**
>
> **우리나라 해안의 특징**
>
> | 동해안 | 길게 뻗은 모래사장이 펼쳐진 곳이 많아 해수욕장이 발달함. |
> |---|---|
> | 서해안 | 밀물과 썰물의 차가 커서 갯벌이 발달함. |
> | 남해안 | 크고 작은 섬이 많고, 물이 깨끗하며 파도가 잔잔해 양식업이 발달함. |

10 ㉡ 서해안은 해안선이 복잡하며 동해안에 비해 섬이 많습니다. ㉢ 서해안은 밀물과 썰물의 차가 커서 갯벌이 발달하였습니다. 모래사장을 많이 볼 수 있는 곳은 동해안입니다.

11 (1) 스키장은 사람들이 여가 생활을 즐길 수 있도록 높은 산지에 만든 것입니다. (4) 논농사는 하천 중·하류 주변 넓은 평야에서 많이 짓습니다.

12 해안 지역의 항구 주변은 예부터 사람들이 많이 모이고 물자 교류가 활발해 도시로 발달하기도 했습니다.

> **채점 tip** 다른 곳으로 이동하기 편리하고 교류가 활발하기 때문이라고 썼으면 정답으로 합니다.

❷ 우리 국토의 자연환경 (2)

23쪽 기본 개념 문제

1 기후 **2** 여름 **3** 남북 **4** ○ **5** ×

24쪽~25쪽 문제 학습

1 ③ **2** (2) ○ **3** ㉠ 남 ㉡ 북서 **4** (1) × (2) ○
5 남북 **6** 예 동해안은 서해안보다 겨울 기온이 높은 편입니다. **7** 모시옷 **8** (1) 여름 (2) 겨울 **9** ㉡
10 여름 **11** 예 대체로 남부 지방은 강수량이 많고, 북부 지방은 강수량이 적습니다. **12** (1) ㉡ (2) ㉠

1 기후는 오랜 기간 한 지역에 나타나는 평균적인 대기 상태를 말합니다. ③은 짧은 기간의 대기 상태를 말하는 날씨에 대한 설명입니다.

2 (1) 우리나라는 중위도에 위치해 사계절이 나타나며 계절별로 기온의 차이가 큽니다.

3 우리나라는 계절에 따라 불어오는 바람의 방향이 다릅니다.

자료 다시 보기
우리나라의 계절에 따라 불어오는 바람의 특징

▲ 여름에 불어오는 바람   ▲ 겨울에 불어오는 바람

• 여름에는 남쪽 바다에서 덥고 습한 바람이 불어와 기온이 높고 비가 많이 내립니다.
• 겨울에는 북서쪽 대륙에서 차갑고 건조한 바람이 불어와 춥고 눈이 내립니다.

4 (1) 대체로 해안 지역이 내륙 지역보다 겨울에 더 따뜻합니다.

5 우리나라는 남북으로 길게 뻗어 있기 때문에 남쪽 지방의 기온과 북쪽 지방의 기온 차이가 큰 편입니다.

6 동해안은 차가운 북서풍을 태백산맥이 막아 주고, 수심이 깊은 동해의 영향을 받기 때문에 서해안보다 겨울 기온이 높습니다.

채점 tip 동해안의 겨울 기온이 서해안보다 높다고 썼거나, 동해안이 서해안보다 겨울에 더 따뜻하다고 썼으면 정답으로 합니다.

7 옛날 사람들은 여름에는 바람이 잘 통하는 모시옷을, 겨울에는 추위를 막기 위해 솜옷을 입었습니다.

자료 다시 보기
기온에 따른 사람들의 의생활 모습

여름	바람이 잘 통하는 모시옷을 만들어 입음.
겨울	솜옷을 입어 몸을 따뜻하게 했음.

8 (1) 대청은 여름을 시원하게 보내려고 방과 방 사이에 만든 시설이고, (2) 온돌은 겨울을 따뜻하게 보내려고 설치한 난방 시설입니다.

9 ㉠ 우리나라는 지역에 따라 강수량의 차이가 큽니다. 대체로 남부 지방은 강수량이 많고, 북부 지방은 강수량이 적습니다. ㉡ 제주도, 울릉도, 남해안 지역 등은 비나 눈이 많이 내려서 겨울에도 강수량이 많은 편입니다.

10 여름에는 장마와 태풍의 영향으로 일시적으로 비가 많이 내립니다.

11 우리나라는 북쪽보다는 남쪽이, 내륙 지역보다는 해안 지역이 강수량이 더 많습니다.

채점 tip 남부 지방이 강수량이 많고, 북부 지방은 강수량이 적다는 점을 비교하여 썼으면 정답으로 합니다.

12 우데기는 눈이 집으로 들어오는 것을 막는 외벽입니다. 터돋움집은 집터를 주변보다 높여서 지은 집입니다.

자료 다시 보기
강수량에 따른 사람들의 생활 모습

저수지	설피

하천이나 골짜기를 막아 평소에 물을 저장하여 가뭄 때 사용하려고 저수지를 만듦.	눈이 많이 내리는 지역에서 눈에 빠지거나 미끄러지지 않도록 설피를 신었음.
우데기	터돋움집

눈이 집으로 들어오는 것을 막고 집 안에서 생활이 가능하도록 우데기라는 외벽을 설치함.	홍수 때 집이 물에 잠기는 것을 막으려고 집터를 주변보다 높여서 집을 지음.

2 우리 국토의 자연환경 (3)

27쪽 기본 개념 문제

1 자연재해 2 폭염 3 가뭄 4 지진 5 ○

28쪽~29쪽 문제 학습

1 (1) ㄴ (2) ㄱ 2 ㄴ, ㄷ 3 태풍 4 ④, ⑤
5 (1) ○ 6 예 지진은 짧은 시간 동안 넓은 지역에
걸쳐 발생합니다. 7 (1) × (2) ○ 8 예 외출할 때
는 마스크를 쓰고, 외출 후에는 손과 얼굴을 깨끗
이 씻어야 해. 9 아래로 들어가 10 ① 11 ㄷ
12 용성, 해린

1 홍수는 비가 많이 내려 물이 흘러넘쳐 주변의 도로
나 건물 등이 물에 잠기는 재해입니다. 황사는 중국
이나 몽골의 사막에서 발생한 모래 먼지가 우리나
라까지 날아와 가라앉는 현상입니다.

2 자연 재해는 피할 수 없는 자연 현상으로 인해 일어
나는 피해를 말합니다. ㄱ 봄에는 황사와 가뭄 등의
자연재해가 주로 발생합니다.

3 태풍은 평균적으로 일 년에 세 개 정도가 여름부터
초가을 사이에 우리나라에 영향을 줍니다.

> **자료 다시 보기**
>
> **태풍이 가져오는 좋은 점**
> 태풍은 가뭄으로 생긴 물 부족 문제를 해결하기도 하고, 대기
> 중 미세 먼지나 오염 물질을 씻어 내기도 합니다. 또한 바닷
> 물이 위아래로 잘 섞이도록 합니다.

4 우리나라의 겨울에는 짧은 시간 동안 많은 양의 눈
이 내리는 현상인 폭설과 기온이 갑자기 내려가면
서 발생하는 추위인 한파 등의 자연재해가 발생합
니다.

5 (2) 가뭄은 오랫동안 비가 오지 않거나 적게 오는 기
간이 지속되는 현상입니다. 겨울철에 기온이 갑자
기 내려가면서 발생하는 추위는 한파입니다.

6 지진으로 각종 시설이 파손되거나 화재, 지진 해일,
산사태 등이 함께 발생해 인명과 재산에 막대한 피
해를 입기도 합니다.

> **채점 tip** '짧은 시간 동안 넓은 지역에 걸쳐 발생한다.' 등과 같이
> 지진의 발생 특징을 정확히 썼으면 정답으로 합니다.

> **자료 다시 보기**
>
> **지형과 관련된 자연재해**
>
>
>
> ▲ 지진으로 기울어진 첨성대
>
> 우리나라는 기후와 관련된 자연재해뿐만 아니라 지형과 관련
> 된 자연재해가 발생하기도 합니다. 지진은 땅속의 갑작스러
> 운 변화로 땅이 흔들리고 갈라지는 현상입니다. 지진이 일어
> 나면 건물이나 다리 등 각종 시설물이 무너지고 화재가 발생
> 하기도 합니다.

7 (1) 미세 먼지는 자동차의 배기가스, 공장 등에서 배
출하는 매연 때문에 발생하므로 황사처럼 자연재해
로 분류하지 않습니다.

8 황사가 실내로 들어오지 않도록 창문을 닫고, 가능
한 한 외출을 줄입니다. 또한 외출할 때는 마스크를
꼭 쓰고 외출 후에는 손과 얼굴을 깨끗이 씻어야 합
니다.

> **채점 tip** 황사로 인한 피해를 줄이기 위한 노력을 정확히 썼으면
> 정답으로 합니다.

> **이런 답도 가능해!**
>
> 황사가 발생하면 가능한 한 외출을 줄이고, 황사가 실내로 들
> 어오지 않도록 창문을 닫습니다.

9 지진 발생 시 집 안에서는 책상 아래로 들어가 몸을
보호합니다. 집 밖에 있을 때에는 가방이나 손으로
머리를 보호하며, 건물과 떨어진 운동장이나 공원
같은 넓은 공간으로 대피해야 합니다.

10 ① 홍수가 발생하면 높은 곳으로 빨리 대피해 구조를
기다립니다.

11 가뭄은 오랫동안 비가 오지 않거나 적게 오는 기간
이 지속되는 현상입니다. 가뭄의 피해를 줄이려고
저수지와 다목적 댐 등을 만듭니다. ㄱ은 폭염, ㄴ은
황사, ㄹ은 한파의 피해를 줄이기 위한 노력입니다.

12 자연재해의 피해를 줄이려면 평소에 재해가 발생했
을 때의 행동 요령과 안전 수칙을 알고 실천하는 태
도가 필요합니다.

3 우리 국토의 인문환경 (1)

31쪽 기본 개념 문제

1 인구 2 일자리 3 수도권 4 저출산 5 ✕

32쪽~33쪽 문제 학습

1 (1) ◯ (2) ✕ 2 ① 3 ㉠ 4 ㉢ 5 예 수도권에 살고 있습니다. 6 (1) ㉡, ㉣ (2) ㉠, ㉢ 7 인구 8 ㉠ 유소년층 ㉡ 노년층 9 ① 10 65세 이상 11 예 저출산으로 새로 태어나는 아기의 수가 점점 줄어들고, 의료 기술의 발달로 평균 수명이 길어지기 때문입니다. 12 ③

1 1960년대 이전에는 농사지을 땅이 넓은 남서쪽의 평야 지역에 사람들이 많이 모여 살아 인구 밀도가 높았습니다. 춥고 산지가 많은 북동쪽 지역에는 인구가 적었습니다.

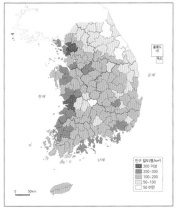

자료 다시 보기

1940년 우리나라의 인구 분포

1940년에 우리나라에서 인구 밀도가 높은 곳은 기후가 온화하고 벼농사에 유리한 남서쪽 지역입니다. 북동쪽 지역은 인구 밀도가 낮습니다.

2 1960년대 이전 우리나라는 벼농사 중심의 농업 사회로, 인구 분포는 자연환경의 영향을 많이 받았습니다. 기후가 온화하고 평야가 발달한 남서쪽 지역에 사람들이 많았습니다.

3 1960년대 이후 도시를 중심으로 산업화가 되면서 촌락에 사는 사람들이 일자리를 찾아 도시로 이동하였습니다. 오늘날에 인구 밀도가 높은 곳은 서울, 부산과 같은 대도시입니다.

4 ㉠ 청장년층이 일자리와 학교를 찾아 수도권 및 대도시 주변으로 몰려들어 수도권에는 우리나라 인구의 절반 정도가 살고 있습니다. ㉡ 산지 지역과 농어촌 지역은 인구 밀도가 낮습니다.

5 1960년대 이후 촌락에 사는 사람들이 일자리를 찾아 도시로 이동하면서 서울을 중심으로 한 수도권에 사람들이 모여 삽니다.

채점 tip 수도권에 살고 있다고 썼으면 정답으로 합니다.

6 인구가 줄어드는 촌락은 교육 시설 부족, 의료 시설 부족, 일손 부족 등의 문제가 발생합니다. 많은 인구가 모여 사는 도시는 주택 부족, 교통 혼잡, 환경 오염 등의 문제가 발생합니다.

7 우리나라 인구는 약 5,100만 명으로 연령별로 인구 구성이 다양하게 나타납니다.

8 1960년대에는 출산율과 사망률이 높았기 때문에 유소년층의 인구가 많고, 노년층의 인구가 적습니다.

9 65세 이상 인구가 전체 인구의 7%를 넘으면 고령화 사회, 14%를 넘으면 고령 사회, 20%를 넘으면 초고령 사회라고 합니다.

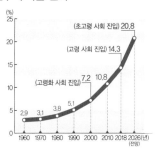

자료 다시 보기

65세 이상 인구의 비율 변화

평균 수명이 길어지고 노인 인구가 늘어나면서 우리나라는 지난 2000년에 고령화 사회로 진입했으며, 2018년에는 노인 인구 비율이 14%를 넘어 고령 사회에 도달하였습니다.

10 65세 이상의 노년층 인구 비율은 1960년에 비해 2020년에는 크게 늘어났습니다. 14세 이하의 유소년층 인구 비율은 줄어들었습니다.

11 오늘날 우리나라의 연령별 인구 구성을 보면 저출산·고령 사회의 모습이 나타납니다.

채점 tip 아이를 적게 낳고, 평균 수명이 길어졌다는 점을 썼으면 정답으로 합니다.

12 오늘날 우리나라는 유소년층 인구 비율이 낮아지고, 노년층 인구 비율이 높아지고 있습니다.

3 우리 국토의 인문환경 (2)

35쪽   기본 개념 문제

1 × 2 공업 3 신도시 4 노동력 5 ○

36쪽~37쪽   문제 학습

1 공업 2 ③ 3 (1) ○ (2) ○ (3) × 4 ①
5 수도권 6 ⓔ 대도시에 인구가 집중하면서 생긴 여러 가지 문제를 해결하기 위해서입니다. 7 (1) ○
8 중화학 공업 9 ③ 10 (1) ㉠ (2) ㉡ 11 ①
12 ⓔ 원료를 수입하고 제품을 수출하기 좋은 해안가에 있기 때문입니다.

1 1960년대 산업화 과정에서 많은 사람들이 일자리를 찾아 도시로 이동하면서 서울, 인천, 부산, 대구 등의 인구가 급속히 증가했습니다.

2 지도에서 원은 도시를 나타내며 원의 크기는 도시에 사는 인구를 나타냅니다.

3 (3) 1960년과 비교해 2020년에는 우리나라의 도시 수와 도시 인구가 모두 크게 늘어났습니다.

4 1970년대에는 남동 해안 지역의 항구를 중심으로 포항, 울산, 마산, 창원 등의 공업 도시가 성장하였습니다.

5 우리나라는 국토를 균형적으로 발전시키려고 공공 기관 등을 세종특별자치시와 같은 지방으로 옮겼습니다.

> **자료 다시 보기**
>
> **공공 기관이 이전하는 이유**
> 공공 기관을 지방으로 옮기는 까닭은 국토를 균형 있게 발전시키고자 하기 때문입니다. 정부 종합 청사에 있었던 정부의 여러 기관을 세종특별자치시로 이전하여 수도권에 집중된 인구와 기능을 분산합니다.
>
>
> ▲ 정부 세종 청사(세종특별자치시)

6 대도시에 인구와 여러 기능이 집중하면서 주택 부족, 교통 혼잡, 환경 오염 등의 문제가 나타났습니다. 이러한 문제를 해결하기 위해 1980년대부터 대도시 주변 지역에 대도시의 인구와 기능을 분담하는 신도시를 건설했습니다.

채점 tip 대도시에 인구가 집중하면서 생긴 여러 가지 문제를 해결하기 위해서라고 썼으면 정답으로 합니다.

7 (2) 오늘날에는 첨단 산업이 발달했습니다. 농업, 어업, 임업은 1960년대 이전에 발달했습니다.

> **자료 다시 보기**
>
> **우리나라의 산업 발달 과정**
>
> | | |
> |---|---|
> | 1960년대 이전 | 생산 활동에 적합한 자연환경을 갖춘 곳에서 농업, 어업, 임업이 주로 발달함. |
> | 1960년대 | 풍부한 노동력을 바탕으로 섬유, 신발, 의류 등과 같이 가벼운 물건을 만드는 산업이 대도시를 중심으로 발달함. |
> | 1970~1980년대 | • 남동 해안 지역에 중화학 공업이 발달함.
• 철강, 배, 자동차 등과 관련된 산업이 발달함. |
> | 1990년대 | 컴퓨터와 반도체 등 정보 통신 산업이 크게 성장함. |
> | 오늘날 | 로봇, 항공, 우주와 관련된 첨단 산업이 발달함. |

8 1970년대 이후 생활에 필요한 물건을 공장에서 대량으로 만들기 시작하면서 수입과 수출이 편리한 남동 해안 지역에 중화학 공업 단지가 형성되었습니다.

9 동해는 시멘트의 주원료인 석회석이 풍부해 시멘트 산업이 발달했습니다.

> **자료 다시 보기**
>
> **태백산 공업 지역**
> 동해, 삼척 등이 있는 태백산 공업 지역은 풍부한 지하자원을 바탕으로 원료 산업이 발달했습니다.

10 우리나라는 자연환경과 인문환경의 차이에 따라 지역별로 각기 다른 산업이 발달했습니다.

11 제주도는 다른 지역에서 볼 수 없는 독특한 자연환경을 가지고 있어 관광 산업이 발달했습니다.

12 부산은 해안가에 위치해 항구가 발달하여 상품을 수송, 운반, 보관하는 물류 산업이 발달했습니다.

채점 tip 부산에 물류 산업이 발달한 까닭을 해안가에 있다는 점과 관련지어 썼으면 정답으로 합니다.

3 우리 국토의 인문환경 (3)

39쪽 기본 개념 문제

1 교통도 2 복잡 3 생활권 4 × 5 산업

40쪽~41쪽 문제 학습

1 ② 2 고속 철도 3 ⑵ ○ 4 생활권 5 ②
6 예 교통수단과 교통 시설이 발달하면서 사람과 물건의 이동이 빨라졌습니다. 비행기를 이용해 하루 안에 전국 어디나 왕복할 수 있습니다. 7 가깝게
8 ⑴ 산업 ⑵ 도시 9 많다는 10 ㉠
11 예 교통이 발달한 곳에 사람들이 많이 모여 삽니다. 인구가 많은 지역을 중심으로 교통망이 발달했습니다. 12 다인

1 제시된 교통도를 보면 철도, 고속 국도, 주요 공항, 주요 항구 등의 정보를 알 수 있습니다. ② 지하철과 관련된 정보는 알 수 없습니다.

2 고속 철도는 시속 약 200km 이상으로 운행되는 철도입니다. 2004년에 고속 철도가 개통되면서 전 국토의 반나절 생활권이 가능해졌습니다.

자료 다시 보기

우리나라의 교통 발달 모습
• 산업과 도시의 발달에 따라 지역과 지역을 잇는 교통망은 더욱 세밀해졌습니다.
• 1980년보다 2020년에는 철도, 고속 국도가 복잡해졌습니다.

3 ⑴ 2020년 교통도를 보면 산업이 발달한 지역을 따라 1980년에 비해 주요 공항과 항구의 수가 늘어났습니다.

4 생활권은 통학, 통근 등 사람이 일상생활을 할 때 활동하는 범위를 말합니다.

자료 다시 보기

경부 고속 국도와 고속 철도

경부 고속 국도는 서울과 부산을 잇는 고속 국도이고, 고속 철도는 시속 약 200km 이상으로 운행되는 철도입니다.

5 ② 고속 국도, 철도뿐만 아니라 공항도 늘어나면서 지역 간 교류가 더욱 활발해졌습니다.

6 교통의 발달로 사람들은 고속 철도나 비행기를 타고 먼 거리를 짧은 시간에 이동할 수 있게 되었습니다.

채점 기준	상	교통의 발달로 달라진 사람들의 생활 모습 두 가지를 알맞게 쓴 경우
	중	교통의 발달로 달라진 사람들이 생활 모습을 한 가지만 쓴 경우

7 교통이 발달하면서 사람들이 느끼는 국토의 크기가 상대적으로 작아졌고 생활권은 더욱 넓어졌습니다.

8 인구와 도시, 교통, 산업은 서로 영향을 주고받으며 변화합니다. 인문환경에 따라 우리 국토의 모습은 꾸준히 변하고 있습니다.

9 산업이 발달한 지역은 일자리를 찾아 사람들이 모이고 도시가 성장하면서 인구가 늘어납니다.

10 ㉠은 대전광역시 주변으로, 여러 곳으로 가는 고속 국도와 고속 철도가 연결되어 있습니다. ㉠이 ㉡보다 교통망이 복잡한 것을 보아 ㉠의 교통이 더 발달했다는 것을 알 수 있습니다.

11 교통이 발달하면 지역 간의 이동 시간이 줄어들어 사람들의 이동이 더욱 활발해집니다.

채점 tip 교통이 발달한 곳에 사람들이 많이 모여 살고 있다고 썼으면 정답으로 합니다.

12 신애 – 인구가 많은 지역을 중심으로 교통망이 발달합니다. 원석 – 도시의 성장으로 더 많은 인구가 일자리를 찾아 도시로 이동하면서 교통과 산업은 더욱 발달합니다.

자료 다시 보기

인문환경의 변화에 따라 달라진 국토의 모습
• 주요 공업 중심지와 공업 지역에 인구가 많습니다. 인구가 많은 지역에 주요 도시가 분포하고 있습니다.
• 인구, 도시, 산업, 교통은 서로 영향을 주고받으며 변화합니다. 인문 환경에 따라 우리 국토의 모습은 꾸준히 변하고 있습니다.

42쪽~43쪽 교과서 통합 핵심 개념

1 아시아 2 주권 3 자연환경 4 논농사
5 양식업 6 여름 7 기상 특보 8 노년층

44쪽~46쪽 단원 평가 ❶회

1 ②, ⑤   2 ㉡, ㉢   3 예 우리나라의 영토는 한반도와 한반도에 속한 여러 섬입니다.   4 영남 지방   5 ③, ⑤   6 ③   7 ㉠ 동 ㉡ 서   8 예 여름에는 남쪽에서 덥고 습한 바람이 불어옵니다. 겨울에는 북서쪽에서 차갑고 건조한 바람이 불어옵니다.   9 ④   10 우데기   11 ㉠ 남서쪽 ㉡ 북동쪽   12 ②, ④   13 ①   14 예 생산에 필요한 원료를 배로 수입하거나 완성된 제품을 수출하기에 유리하기 때문입니다.   15 ④

1 ① 우리나라는 중국과 일본 사이에 있습니다. ③ 우리나라 주변에는 러시아, 몽골, 일본, 중국 등의 나라가 있습니다. ④ 우리 국토는 북위 33°~43°, 동경 124°~132° 사이에 위치해 있습니다.

2 ㉠ 우리 국토는 도로나 철도를 이용해 대륙으로 나아가기 유리합니다.

3 영토는 우리나라의 주권이 미치는 땅의 범위를 말합니다. 이는 영해와 영공을 정하는 기준이 됩니다.

채점 tip 한반도와 한반도에 속한 여러 섬이라고 정확히 썼으면 정답으로 합니다.

4 영남 지방은 조령 고개의 남쪽에 있어서 붙여진 이름입니다.

5 ① 우리나라에는 광역시가 6곳 있습니다. ② 도와 특별자치도에는 도청이 있습니다. ④ 세종특별자치시는 서울특별시의 남쪽에 있습니다.

6 바다와 육지가 만나는 곳을 해안이라고 합니다.

자료 다시 보기

우리나라에서 볼 수 있는 다양한 지형의 모습

▲ 산지

▲ 하천

▲ 해안

▲ 섬

7 우리나라는 대체로 동쪽이 높고 서쪽은 낮은 지형이며, 이러한 지형의 특징에 따라 한강, 금강 등의 큰 하천은 대부분 동쪽에서 서쪽으로 흘러갑니다.

8 우리나라는 계절에 따라 불어오는 바람이 다릅니다.

채점 tip 각 계절에 따라 불어오는 바람의 특징을 알맞게 썼으면 정답으로 합니다.

9 ① 지역마다 집의 구조에 차이가 났습니다. ② 싱거운 음식이 발달했던 곳은 북쪽 지방입니다. ③ 솜옷은 겨울에 몸을 따뜻하게 하기 위해 만들어 입었던 옷입니다. ⑤ 소금과 젓갈이 많이 들어간 음식이 발달했던 곳은 남쪽 지방입니다.

10 울릉도에서는 처마 끝에서 바닥까지 우데기를 설치하여 집 안으로 눈이 들어오는 것을 막고, 집 안에서 생활할 수 있는 공간을 확보했습니다.

자료 다시 보기

우데기

우데기는 바람이나 눈비를 막기 위한 것으로, 울릉도에서 주로 볼 수 있습니다.

11 과거에는 지형이나 기후 등 자연환경 조건에 따라 인구 분포가 지역마다 다르게 나타났습니다.

12 1960년대 이후 촌락에 사는 사람들이 일자리를 찾아 도시로 이동하면서 서울을 중심으로 한 수도권이나 공업이 발달한 부산 등의 도시의 인구 밀도가 급격하게 높아졌습니다. 반면 산지 지역과 농어촌 지역의 인구 밀도는 낮아졌습니다.

13 1970년대에는 포항, 울산, 마산, 창원 등 새로운 공업 도시들이 성장하고 도시 인구가 크게 증가했습니다.

14 부산, 포항, 울산, 창원 등 우리나라의 남동쪽 해안가에는 중화학 공업 단지가 형성되었고, 다양한 산업이 발달하였습니다.

채점 기준	상	생산에 필요한 원료를 배로 수입하고 완성된 제품을 수출하기 유리하다고 쓴 경우
	중	수입, 수출과 관련 있는 내용 중 한 가지만 쓴 경우

15 ④ 교통의 발달로 사람과 물자의 이동이 더욱 활발해지고 지역 간의 이동 시간이 줄면서 지역 간 거리는 점점 가깝게 느껴지고 있습니다.

47쪽~49쪽 단원 평가 ❷회

1 ㉠, ㉡, ㉣   2 ㉠ 대륙 ㉡ 해양   3 용훈   4 ①
5 **예** 우리나라 사람들이 살고 있는 삶의 터전입니다. 화산 활동으로 생겨났으며 우리나라는 섬 전체를 천연기념물로 보호하고 있습니다.   6 ④   7 ㉠ 태백산맥 ㉡ 동해안   8 ③   9 ②   10 **예** 폭설은 짧은 시간 동안 많은 양의 눈이 내리는 현상을 말합니다.   11 ⑤   12 ㉠ → ㉡ → ㉢   13 ③   14 **예** 지역과 지역을 잇는 교통망이 더욱 세밀해졌습니다. 철도, 고속 국도가 복잡해졌습니다.   15 ㉠, ㉢

1 북반구에 위치한 우리나라는 아시아 대륙의 동쪽에 위치한 반도이며, 주변에 일본, 중국, 몽골, 러시아 등의 나라가 있습니다. ㉢ 우리나라는 북위 33°~43°, 동경 124°~132°에 위치해 있습니다.

> **자료 다시 보기**
>
> 우리나라의 위치 살펴보기
>
> | 방위로 나타내기 | 우리 국토는 아시아 대륙의 동쪽에 위치한 반도임. |
> | --- | --- |
> | 위도와 경도로 나타내기 | 우리 국토는 북위 33°~43°, 동경 124°~132° 사이에 위치해 있음. |
> | 우리나라 주변에 있는 나라 | 우리나라 주변에는 중국, 러시아, 몽골, 일본 등이 있음. |

2 우리 국토는 한 면이 육지에 이어지고 삼면이 바다로 둘러싸인 반도 지형으로 이러한 장점을 이용해 세계 여러 나라와 교류하고 있습니다.

3 용훈 – 동해안은 썰물일 때의 해안선을 기준으로 하여 12해리까지가 우리나라의 영해입니다.

4 비무장 지대는 휴전선을 기준으로 남과 북에 각각 2km내에 위치한 영역으로, 군인이나 무기를 원칙적으로 배치하지 않기로 한 곳입니다. ① 우리나라의 북쪽 끝은 함경북도 온성군 유원진입니다.

5 이 외에도 독도는 수산 자원과 지하자원이 풍부하고, 국토방위에 중요한 장소입니다.

채점 기준	상	독도의 특징 두 가지를 알맞게 쓴 경우
	중	독도의 특징을 한 가지만 알맞게 쓴 경우

6 물은 높은 곳에서 낮은 곳으로 흘러가므로 동쪽이 높고 서쪽이 낮은 우리나라 지형의 특징에 따라 큰 하천은 대부분 동쪽에서 서쪽으로 흘러갑니다.

7 비슷한 위도에 위치한 서울과 강릉의 경우 태백산맥과 동해의 영향으로 서울보다 강릉의 1월 평균 기온이 더 높게 나타납니다.

8 연평균 강수량이 1,000mm 미만인 지역은 중강진을 포함한 북쪽 지역입니다.

9 ① 한파가 발생하면 매우 심한 추위가 나타납니다. ③ 황사는 중국이나 몽골의 사막에서 발생한 미세한 모래 먼지가 우리나라까지 날아와 생깁니다. ④ 한꺼번에 눈이 많이 내리는 현상은 폭설이고, 홍수는 비가 많이 내려 하천이 흘러넘쳐 주변의 도로나 건물 등이 물에 잠기는 재해입니다.

> **자료 다시 보기**
>
> 계절에 따라 발생하는 자연재해
>
> | 황사(봄) | 중국이나 몽골의 사막에서 발생한 모래 먼지가 날아와 가라앉는 현상 |
> | --- | --- |
> | 가뭄(봄) | 오랫동안 비가 오지 않거나 적게 오는 기간이 지속되는 현상 |
> | 폭염(여름) | 하루 최고 기온이 33℃ 이상으로 올라가는 매우 심한 더위 |
> | 홍수(여름) | 비가 많이 내려 물이 흘러넘치고 도로나 건물 등이 물에 잠기는 현상 |
> | 태풍(여름~초가을) | 많은 비와 강한 바람을 몰고 오는 자연 현상 |
> | 한파(겨울) | 겨울철 기온이 갑자기 내려가면서 발생하는 추위 |
> | 폭설(겨울) | 짧은 시간 동안 많은 양의 눈이 내리는 현상 |

10 폭설은 주로 겨울에 발생하는 자연재해로 짧은 시간 동안 많은 양의 눈이 내리는 현상을 말합니다. 도로에 눈이 쌓일 때를 대비해 제설 장비를 준비해 두어야 합니다.

> **채점 tip** 폭설의 의미를 정확히 썼으면 정답으로 합니다.

11 오늘날 유소년층 인구 비율은 1960년에 비해 줄었고, 노년층 인구 비율은 증가했습니다. 오늘날 우리나라는 저출산·고령 사회의 모습이 나타납니다.

12 ㉠은 1960년대, ㉡은 1970년대, ㉢은 1980년대 이후 도시 발달의 특징을 설명한 것입니다.

13 대전에서는 연구소와 대학교가 서로 협력해 연구하기 때문에 첨단 산업이 발달할 수 있었습니다.

14 1980년에 비해 2020년에는 교통 시설이 많아졌고, 고속 철도가 생겼습니다.

> **채점 tip** 교통망이 더욱 세밀해지고, 복잡해졌다고 썼으면 정답으로 합니다.

15 ㉡ 인구가 많은 지역에 주요 도시가 분포하고 있습니다.

50쪽 **수행 평가 ❶회**

1 ㉠ 한반도 ㉡ 12해리 2 ㉔ 우리나라의 영토와 영해 위에 있는 하늘의 범위입니다.

1 영역은 국민의 생활 공간이자 한 나라의 주권이 미치는 범위를 말합니다.

> **자료 다시 보기**
>
> **영역의 구성**
>
> | 영토 | 한 나라의 주권이 미치는 땅으로, 영해와 영공을 정하는 기준이 됨. |
> |---|---|
> | 영해 | • 우리나라 영토 주변의 바다로, 영해를 설정하는 기준인 기선으로부터 12해리(약 22km)까지임.
• 동해안과 제주도, 울릉도, 독도는 썰물일 때의 해안선을 기준으로 영해를 정함.
• 서해안과 남해안은 가장 바깥에 위치한 섬들을 직선으로 이은 선을 기준으로 영해를 정함. |
> | 영공 | 우리나라의 영토와 영해 위에 있는 하늘의 범위임. |

2 다른 나라의 비행기가 우리나라의 영공을 지나가려면 허가를 받아야 합니다.

채점 기준	상	우리나라의 영토와 영해 위에 있는 하늘의 범위라고 쓴 경우
	중	우리나라에 있는 하늘의 범위라고만 쓴 경우

51쪽 **수행 평가 ❷회**

1 ㉠ 북동쪽 ㉡ 동쪽 ㉢ 서쪽 ㉣ 서쪽 2 ㉔ 사람들이 여가 생활을 즐길 수 있도록 스키장이나 휴양 시설을 만듭니다.

1 우리나라는 대체로 동쪽이 높고 서쪽이 낮은 지형이 나타나며 이러한 지형의 특징에 따라 큰 하천은 대부분 동쪽에서 서쪽으로 흘러갑니다. 비교적 낮은 평야는 서쪽에 나타나며, 평야에는 농사지을 땅이 넓게 나타나며 사람이 많이 모여 사는 도시가 발달했습니다.

---

2 사람들은 높은 산지에 스키장이나 휴양 시설을 만들어 여가 생활을 즐기기도 합니다.

채점 기준	상	사람들이 산지 지형을 이용하는 모습을 사례와 함께 정확히 쓴 경우
	중	사람들이 산지 지형을 다양하게 이용한다고만 쓴 경우

> **자료 다시 보기**
>
> **다양한 지형을 이용하는 모습**
>
>
>
> | 높은 산지에 스키장이나 휴양 시설을 만듦. | 하천 중·상류에 다목적 댐을 건설함. |
> |---|---|
> | 하천 중·하류 주변의 넓은 평야에서는 사람들이 논농사를 많이 지음. | 하천 주변의 평야에는 옛날부터 많은 사람이 모여들어 큰 도시가 발달했음. |

52쪽 **수행 평가 ❸회**

1 ㈏ 2 시멘트 3 ㉔ 생산에 필요한 원료를 배로 수입하거나 완성된 제품을 수출하기 위해서입니다.

1 ㈏는 ㈎에 비해 항구와 공항 등이 많고, 여러 곳으로 이어진 고속 국도가 있습니다.

2 동해는 시멘트의 주원료인 석회석이 풍부해 시멘트 산업이 발달했습니다.

3 항구가 발달한 곳은 배를 이용하여 생산에 필요한 원료를 수입하고, 제품을 수출하기 알맞아 물류 산업이 발달하기도 합니다.

채점 기준	상	원료를 수입하고 제품을 수출하기 위해서라고 쓴 경우
	중	배를 이용하기 위해서라고만 쓴 경우

2. 인권 존중과 정의로운 사회

① 인권을 존중하는 삶 (1)

55쪽 기본 개념 문제

1 인권 2 평등하게 3 존중 4 ○ 5 국제 연합

56쪽~57쪽 문제 학습

1 인권 2 ④ 3 ⑵ ○ 4 ㉠, ㉢ 5 ③
6 ⑩ 어린이가 안전하게 등하교할 수 있도록 학교 앞에 어린이 보호 구역을 지정합니다. 7 저상 버스
8 ⑩ 장애인이 편리하게 이동할 수 있도록 장애인 전용 주차 구역을 만듭니다. 9 국제 연합(UN)
10 세계 인권 11 한빛 12 ①

1 인권은 사람이라면 누구나 태어나면서부터 당연히 누리는 기본적 권리입니다.

2 ④ 인권은 태어날 때부터 모든 사람에게 평등하게 보장되는 것입니다.

> **자료 다시 보기**
> **인권의 특성**
> • 모든 사람은 태어나면서부터 인간답게 살 권리가 있습니다.
> • 인종, 국적, 성별, 종교, 언어, 나이, 신체적 특징 등과 관계없이 누구나 동등하게 누려야 하는 권리입니다.

3 인권에는 의식주와 같이 살아가는 데 꼭 필요한 것과 관련된 권리뿐만 아니라 인간다운 삶을 살아가는 데 필요한 다양한 권리가 포함되어 있습니다.

4 ㉢ 인종, 국적, 성별, 종교 등과 관계없이 누구나 동등하게 대해야 합니다.

5 ①은 어린이, ②와 ④는 몸이 불편한 사람의 인권을 존중하는 모습입니다.

6 어린이 보호 구역은 어린이를 교통사고의 위험으로부터 보호하기 위하여 설정한 구역입니다.

> **채점 tip** 어린이 보호 구역 등과 같은 어린이의 인권을 존중하는 모습을 썼으면 정답으로 합니다.

> **이런 답도 가능해!**
> 키가 작은 어린이를 위해 낮은 세면대를 설치합니다.

> **자료 다시 보기**
> **어린이 보호 구역**
>
> 어린이가 안전하게 등하교할 수 있도록 학교 앞에 어린이 보호 구역을 지정합니다.

7 저상 버스는 장애인들이 휠체어를 탄 채 버스에 쉽게 오를 수 있도록 바닥이 낮고 출입구에 경사판을 설치한 버스입니다.

> **자료 다시 보기**
> **저상 버스**
>
> 저상 버스는 휠체어나 유모차 등이 쉽게 오를 수 있습니다.

8 장애인 전용 주차 구역은 장애인이 탑승한 자동차만 주차할 수 있는 장소입니다.

> **채점 tip** 장애인이 편리하게 이동하기 위해서라고 쓰거나 장애인의 인권을 보호하기 위해서라고 쓴 경우 정답으로 합니다.

9 국제 연합(UN) 아동 권리 선언은 모든 18세 미만 아동의 권리를 담은 국제적 약속입니다.

> **자료 다시 보기**
> **국제 연합(UN) 아동 권리 선언**
> • 인종, 종교, 성별 등으로 인한 차별을 받지 않을 권리
> • 신체적·정신적으로 올바르게 성장할 기회를 가질 권리
> • 이름과 국적을 가질 권리
> • 적절한 영양 섭취, 주거 시설, 의료 서비스를 받을 권리
> • 장애를 지닌 아동이 특별한 치료와 교육 및 보살핌을 받을 권리

10 세계 인권 선언은 모든 사람은 누구나 태어나면서부터 똑같은 기본적인 권리를 가지고 있다는 사실을 세계에 널리 알린 것입니다.

11 인권은 태어날 때부터 모든 사람에게 평등하게 보장되는 것입니다.

12 우리는 누구나 안전하게 행복을 누리며 살아갈 권리가 있고, 다른 사람의 권리 또한 빼앗을 수 없습니다.

BOOK ① 개념북

2 단원

1 인권을 존중하는 삶 (2)

59쪽 기본 개념 문제

1 방정환 2 전태일 3 허균 4 × 5 신문고

60쪽~61쪽 문제 학습

1 허균 2 ② 3 마틴 루서 킹 4 ④ 5 ⑤ 6 예 억울하게 벌을 받는 일이 없도록 하기 위해서입니다. 7 격쟁 8 ⑤ 9 상소 10 상언 11 예 억울한 일을 임금에게 알리기 위해서입니다. 12 북

1 허균은 양반 신분임에도 가난한 백성의 편에 서서 신분 제도의 잘못된 점을 주장하였습니다.

2 방정환은 모든 어린이가 꿈과 희망을 품고 행복하게 자라기를 바라는 마음으로 어린이날을 만들었습니다.

> **자료 다시 보기**
>
> **방정환**
> • 아이들을 '어린이'로 부르며 어린이의 인격을 어른과 동등하게 존중하자고 주장했습니다.
> • 어린이를 위한 잡지와 어린이날을 만드는 등 어린이의 인권 신장을 위해 노력했습니다.

3 마틴 루서 킹은 흑인이 차별받는 부당함을 알리려고 많은 연설을 했습니다.

> **자료 다시 보기**
>
> **인권 신장을 위해 노력한 다른 나라의 인물**
>
> | 테레사 수녀 | • 가난하고 아픈 사람들을 위해 평생을 바쳤음.
• 버림받은 아이도 존중해야 한다고 생각했음. |
> | --- | --- |
> | 마틴 루서 킹 | • 백인에게 차별받는 흑인의 인권을 신장하려고 노력했음.
• 흑인도 백인과 똑같은 인간으로서 존엄성을 가지며 동일하게 대우해야 한다고 연설했음. |

4 테레사 수녀는 검은 수녀복 대신 인도에서 가장 가난하고 미천한 여성들이 입는 흰색 옷을 입고 평생을 가난 속에서 고통받으며 죽어 가는 사람들과 버려진 아이들, 노인들을 위해 헌신해 '빈자의 성녀'로 추앙받았습니다.

5 삼복제는 ㉠ 신분과 관계없이 적용됐고, ㉡ 오늘날까지 이어지고 있습니다.

6 조선 시대에 죄를 지은 사람에게 형벌을 내릴 때는 억울하게 벌을 받는 일이 없도록 세밀하게 조사하고 신중하게 결정했습니다.

> **채점 tip** 억울하게 벌을 받는 일이 없도록 하기 위해서라고 썼으면 정답으로 합니다.

7 백성들은 격쟁이라는 제도를 통해 임금에게 억울하고 분통한 일을 직접 말하고 해결하려고 했습니다.

8 제시된 그림과 같이 억울한 일을 당한 사람이 임금의 행차 때 징이나 꽹과리를 쳐서 임금에게 억울함을 호소하는 일을 격쟁이라고 합니다.

9 상소는 임금에게 글을 올리던 일을 말합니다. 일반 백성은 원통하고 억울한 일을 당해도 하소연하기 어려웠습니다.

10 상언 제도와 신문고 제도는 일반 백성의 원통함이나 억울함을 풀어 주고자 했던 제도입니다. 신문고 제도는 백성들이 억울한 일이 있을 때 대궐 밖에 설치된 북을 쳐서 임금에게 알리던 제도입니다.

> **자료 다시 보기**
>
> **상언 제도**
>
>
>
> 신분과 관계없이 억울한 일을 문서에 써서 임금에게 호소할 수 있었습니다.

11 신문고 제도를 통해 백성들은 억울한 일이 있을 때 대궐 밖에 설치된 북을 쳐서 임금에게 알릴 수 있었습니다.

> **채점 tip** 억울한 일을 임금에게 알리기 위해서라고 썼으면 정답으로 합니다.

> **자료 다시 보기**
>
> **신문고 제도**
>
>
>
> 백성들은 억울한 일이 있을 때 대궐 밖에 설치된 북을 쳐서 임금에게 알릴 수 있었습니다.

12 신문고는 조선 시대에 백성이 억울한 일을 하소연할 때 치게 하던 북을 말합니다.

① 인권을 존중하는 삶 (3)

63쪽 기본 개념 문제

1 인권 **2** × **3** 교육 **4** ○ **5** ○

64쪽~65쪽 문제 학습

1 ③, ⑤ **2** ① **3** (1) ⓒ (2) ㉠ **4** ③, ⑤
5 승기 **6 예** 장애인 보조견의 출입을 제한할 수 없
도록 한 법이 제대로 시행되고 있는지 관리하고 감
독해야 합니다. **7** 국가 인권 위원회 **8** 사회 보
장 제도 **9 예** 인권 보장은 시민들의 힘만으로는
할 수 없는 일도 있기 때문입니다. **10** ⑤ **11** ②
12 (1) × (2) ○

1 장애인도 인권을 가진 사람이기 때문에 인권을 보
장받아야 합니다.

2 나이가 많다는 이유로 취업을 하지 못하게 하는 것
은 노인의 인권을 침해하는 것입니다.

3 인권 보장을 위해 사회에서는 다양한 노력을 하고
있습니다.

[자료 다시 보기]
인권 보장을 위한 노력

인권 관련 법 시행	국가는 장애, 성별 등에 따라 불합리한 차별이 발생하지 않도록 법을 만들어 시행함.
인권 교육 활동 실시	학교에서는 자신의 권리와 다른 사람의 인권을 존중할 수 있도록 인권 교육을 실시함.

4 국가와 지방 자치 단체에서는 모든 사람이 안전하
고 편리하게 공공시설을 이용할 수 있도록 공공 편
의 시설을 설치하여 운영하고 있습니다.

5 시각 장애인용 점자 안내도와 점자 블록은 시각 장
애인의 안전하고 편리한 이동을 위한 시설입니다.

[자료 다시 보기]
장애인을 위한 공공 편의 시설

시각 장애인용 점자 안내도	시각 장애인에게 건물의 기본적인 위치와 구조에 관한 정보를 제공하는 안내판
점자 블록	시각 장애인이 안전하게 다닐 수 있도록 건물의 바닥이나 도로에 깐 블록
시각 장애인용 음향 신호기	횡단보도에서 시각 장애인에게 소리와 울림으로 신호가 바뀌었음을 알려주는 기기

6 장애인 보조견은 시각 장애인에게 눈과 같은 역할
을 하기 때문에 국가에서는 장애인 보조견의 출입
을 제한할 수 없도록 법을 만들었습니다.

채점 tip 법이 제대로 시행되고 있는지 관리하고 감독해야 한다고
썼으면 정답으로 합니다.

[이런 답도 가능해!]
국가는 불합리한 차별이 발생하지 않도록 법을 만들어 시행
해야 합니다. 또한 인권 보장을 위한 국가 기관을 설치해야
합니다.

7 이 밖에도 국가 인권 위원회에서는 인권 정책 개선
을 위한 의견 제시, 국민의 인권 의식 향상을 위한
인권 교육, 홍보 활동 등을 벌이고 있습니다.

8 인권 보장은 시민들의 힘만으로는 할 수 없는 일도
있기 때문에 국가와 지방 자치 단체는 모든 국민의
인간다운 생활을 보장하기 위한 사회 보장 제도를
만들어 시행합니다.

9 어려움을 겪고 있는 사람들을 위해 국가와 지방 자
치 단체가 제도를 만들어 안정적인 삶을 살 수 있도
록 노력하고 있습니다.

채점 기준	상	시민들의 힘만으로는 할 수 없는 일도 있기 때문이라고 쓴 경우
	중	국가와 지방 자치 단체가 해야 할 일이기 때문이라고만 쓴 경우

10 다른 사람에게 인권을 알려 주는 것도 인권 보호 실
천 방법 중 하나입니다. ⑤ 국가와 지방 자치 단체
가 할 수 있는 일입니다.

[자료 다시 보기]
우리가 할 수 있는 인권 보호 실천 방법

인권 캠페인 하기	인권의 소중함이나 인권 보장하는 방법 등을 홍보하는 캠페인을 함.
인권 표어, 동영상 만들기	인권을 보장받지 못한 사례나 인권을 보장하는 방법 등을 알리는 표어나 동영상을 만듦.
인권 개선 편지 쓰기	인권 관련 기관에 인권 개선을 요구하는 편지를 써서 보냄.

11 우리는 일상생활에서 인권을 존중하는 말을 사용함
으로써 인권을 보호할 수 있습니다. ② 상대방의 외
모를 놀리는 말을 하면 안 됩니다.

12 (1) 상대방을 존중하는 말과 행동을 함으로써 나의 인
권뿐만 아니라 다른 사람의 인권도 지킬 수 있습니다.

BOOK ① 개념북

2 단원

2 인권 보장과 헌법 (1)

67쪽 기본 개념 문제

1 헌법 2 권리 3 ○ 4 기본권 5 청구권

68쪽~69쪽 문제 학습

1 헌법 2 ㉠, ㉡, ㉢ 3 ㉲ 국민 투표를 해야 합니다. 4 ④ 5 ① 6 헌법 재판소 7 기본권 8 ㉢
9 ㉠ 10 ⑴ 참정권 ⑵ 청구권 11 ①, ③ 12
㉲ 국가의 안전 보장, 공공의 이익, 사회 질서 유지 등을 위해 필요한 경우 법률에 따라 제한될 수도 있습니다.

1 헌법은 모든 국민이 존중받고 행복한 삶을 살아가는 데 필요한 내용을 담고 있습니다.

2 헌법은 국민의 자유와 권리, 인간다운 생활을 보장하기 위해 만들어진 법입니다. ㉣은 관습과 관련된 설명입니다.

3 국민 투표는 국가의 중요한 일을 국민이 최종적으로 투표해 결정하는 제도입니다.

채점 기준	상	국민 투표를 해야한다는 내용을 알맞게 쓴 경우
	중	국민들의 동의를 얻어야한다고만 쓴 경우

4 헌법에서는 직업 선택의 자유를 보장하고 있습니다.

5 헌법은 개인이 가진 인권을 분명하게 확인하고 이를 보장해 줍니다.

6 헌법을 기반으로 만들어진 법이 개인의 권리를 침해했다고 판단될 경우, 헌법 재판소에 심판을 요청할 수 있습니다.

> **자료 다시 보기**
>
> **헌법 재판소**
> 법이 헌법에 어긋나는지, 국가 권력이 국민의 권리를 침해하는지 등을 심판하는 곳입니다. 법률이 국민의 인권을 침해한다면 국민 누구나 헌법 재판을 요청할 수 있습니다.

7 헌법으로 보장되는 국민의 기본적인 권리를 기본권이라고 합니다.

8 평등권은 법을 공평하게 적용받아 차별받지 않을 권리입니다.

9 자유권은 자유롭게 생각하고 행동할 수 있는 권리입니다.

10 참정권은 국가의 정치 의사 형성 과정에 참여할 수 있는 권리이고, 청구권은 기본권이 침해되었을 때 국가에 어떤 일을 해 달라고 요구할 수 있는 권리입니다.

11 사회권은 인간답게 살 수 있도록 국가에 요구할 수 있는 권리입니다. ②는 참정권, ④는 청구권, ⑤는 평등권이 보장되는 사례입니다.

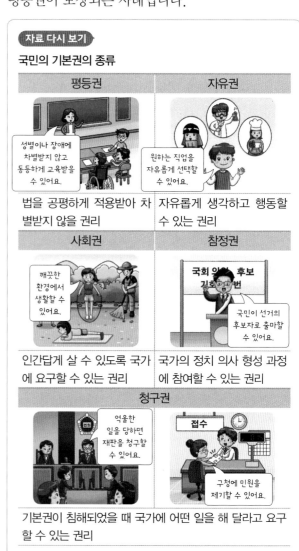

> **자료 다시 보기**
>
> **국민의 기본권의 종류**
>
> | 평등권 | 자유권 |
> |---|---|
> | 성별이나 장애에 차별받지 않고 동등하게 교육받을 수 있어요. | 원하는 직업을 자유롭게 선택할 수 있어요. |
> | 법을 공평하게 적용받아 차별받지 않을 권리 | 자유롭게 생각하고 행동할 수 있는 권리 |
>
> | 사회권 | 참정권 |
> |---|---|
> | 깨끗한 환경에서 생활할 수 있어요. | 국회 의원 후보 기호 ○번 / 국민이 선거의 후보자로 출마할 수 있어요. |
> | 인간답게 살 수 있도록 국가에 요구할 수 있는 권리 | 국가의 정치 의사 형성 과정에 참여할 수 있는 권리 |
>
> **청구권**
>
> | 억울한 일을 당하면 재판을 청구할 수 있어요. | 접수 / 구청에 민원을 제기할 수 있어요. |
> |---|---|
>
> 기본권이 침해되었을 때 국가에 어떤 일을 해 달라고 요구할 수 있는 권리

12 기본권은 제한될 수 있는 경우도 있지만 근본적인 내용은 함부로 제한할 수 없습니다.

채점 기준	상	'국가의 안전 보장', '공공의 이익', '사회 질서 유지' 중 두 가지를 모두 알맞게 쓴 경우
	중	'국가의 안전 보장', '공공의 이익', '사회 질서 유지' 중 한 가지만 쓴 경우

❷ 인권 보장과 헌법 (2)

71쪽 기본 개념 문제

1 국방 **2** 세금 **3** 책임 **4** 의무 **5** ×

72쪽~73쪽 문제 학습

1 ㉢ **2** ㉡ **3** ㉠ **4** 교육의 의무 **5** ④ **6** 의무
7 ㉠ 권리 ㉡ 의무 **8 예** 권리와 의무를 조화시킬 수 있는 합리적인 해결 방안을 생각해야 합니다.
9 (1) ○ **10** (1) ㉡ (2) ㉠ **11** (1) ○ **12 예** 땅 주인은 자신의 재산을 사용할 수 있는 권리를 침해받게 됩니다. 땅 주인은 행복한 삶을 누리지 못할 수도 있습니다.

1 모든 국민은 세금을 내야 할 납세의 의무가 있습니다.

> **자료 다시 보기**
> **국민의 의무와 관련된 생활 모습**
> • 교육의 의무: 부모님께서 자녀들을 학교에 보내 교육을 받게 하고 있습니다.
> • 납세의 의무: 부모님께서 세금을 납부하십니다.
> • 근로의 의무: 부모님, 삼촌, 고모 모두 열심히 일하고 계십니다.
> • 국방의 의무: 사촌 오빠가 군대에 입대했습니다.
> • 환경 보전의 의무: 쓰레기 분리수거를 합니다.

2 제시된 내용은 근로의 의무에 대한 설명입니다.

3 모든 국민은 나와 가족, 우리 모두의 안전을 위해 나라를 지킬 국방의 의무가 있습니다.

4 우리가 학교에서 공부할 수 있는 것은 교육을 받을 수 있는 권리, 교육의 의무 둘 다 관련이 있습니다.

5 모든 국민, 기업, 국가는 환경을 보전하기 위해 노력해야 할 의무가 있습니다. ①은 근로의 의무, ②는 국방의 의무, ③은 납세의 의무를 실천하는 모습입니다.

6 이 밖에 의무를 성실하게 실천함으로써 나라를 유지하고 발전시킬 수 있습니다.

7 권리와 의무의 조화를 추구하는 태도가 필요합니다.

8 헌법에 나타난 권리를 보장하고 의무를 실천하는 것이 모두 필요합니다.

채점 기준		
	상	권리와 의무의 조화를 추구한다고 알맞게 쓴 경우
	중	합리적인 해결 방안을 생각한다고만 쓴 경우

9 인터넷 게임 셧다운제를 찬성하는 입장은 청소년들이 건강하게 성장할 권리를 강조하고, 반대하는 입장은 청소년들이 자유롭게 행동할 권리를 강조합니다.

10 다양한 사람들이 함께 살아가는 사회에서 권리와 의무는 서로의 입장에 따라 종종 충돌할 때가 있습니다.

> **자료 다시 보기**
> **국민의 의무와 종류**
>
>
>
> | 국방의 의무 | 납세의 의무 |
> |---|---|
> | 모든 국민은 나와 가족, 우리 모두의 안전을 위해 나라를 지킬 의무가 있음. | 모든 국민은 세금을 내야 할 의무가 있음. |
>
>
>
> | 근로의 의무 | 교육의 의무 |
> |---|---|
> | 모든 국민은 개인과 나라의 발전을 위해 일할 의무가 있음. | 모든 국민은 자녀가 잘 성장할 수 있도록 교육을 받게 할 의무가 있음. |
>
> **환경 보전의 의무**
>
>
>
> 모든 국민, 기업, 국가는 환경을 보전하기 위해 노력해야 할 의무가 있음.

11 땅 주인의 일상생활에서 보장받아야 하는 권리와 ○○시의 실천해야 하는 의무가 서로의 생각이나 입장에 따라 어긋나 충돌하고 있습니다.

12 우리가 행복하게 살아가려면 헌법에 나타난 권리를 보장하고 의무를 실천하는 것이 모두 필요합니다.

채점 기준		
	상	예시 답안 중 한 가지를 알맞게 쓴 경우
	중	땅 주인의 권리를 침해한다고만 쓴 경우

BOOK ❶ 개념북

2 단원

③ 법의 의미와 역할 (1)

75쪽 기본 개념 문제

1 법 2 제재 3 ○ 4 도덕 5 ×

76쪽~77쪽 문제 학습

1 ④ 2 (2)○ (3)○ 3 법 4 ㉠, ㉡, ㉣ 5 **예** 법이 사회의 변화에 맞지 않거나 인권을 침해할 때입니다. 6 (1)○ 7 ③, ⑤ 8 도덕 9 ㉠ 법 ㉡ 도덕 10 ④ 11 (1) ㉡, ㉣ (2) ㉠, ㉢ 12 **예** 교통 신호를 지키지 않는 경우입니다. 다른 사람의 돈을 빌려 가서 갚지 않는 경우입니다.

1 ④ 정해진 장소에서 택시를 기다려야 합니다.

2 사람들이 도로 위에서 규칙을 지키지 않는다면 자동차들이 운행하는 데 불편을 겪을 수 있고 교통사고가 늘어나 운전자나 보행자 모두 위험할 수 있습니다.

3 법은 국가가 만든 사회 규범으로, 이를 어겼을 때는 제재를 받습니다.

4 법은 사회의 질서를 유지하고 국가에 속한 사람들의 안전을 위해 만들어진 규칙입니다. ㉢ 법은 국가에서 만들었습니다.

자료 다시 보기

도로 위에서 지켜야 할 규칙

지켜야 할 규칙	안전띠 매기, 횡단보도에서는 자전거에서 내려 걷기, 초록불일 때 횡단보도 건너기 등
규칙을 지키지 않을 때	도로가 혼란스러워지고 교통사고 등 위험이 발생할 수 있습니다. 자동차들이 운행하는 데 불편을 겪을 수 있습니다.

5 법이 사회의 변화에 맞지 않거나 그 내용이 다른 사람의 인권을 침해한다고 판단되는 경우, 법을 바꾸거나 다시 만들 수 있습니다.

채점 기준	상	사회에 맞지 않거나 인권을 침해할 때라고 쓴 경우
	중	사회에 맞지 않기 때문이라고만 쓴 경우

6 차에 탈 때 안전띠를 매야 안전하기 때문에 법으로 안전띠를 매도록 정해져 있습니다. (2) 남의 물건을 허락 없이 가져와서는 안 됩니다.

7 법은 강제성이 있어서 이를 어겼을 때는 제재를 받습니다.

8 도덕과 같은 사회 규범은 양심상 지켜야 하는 것들입니다.

9 법은 지키지 않았을 때 제재를 받지만 도덕은 지키지 않았을 때 주위 사람들의 따가운 시선을 받을 뿐 제재를 받지는 않습니다.

자료 다시 보기

도덕과 법의 구분

도덕	지하철에서 임산부 배려석을 임산부에게 양보하는 것	무거운 짐을 들고 있는 사람을 도와 짐을 함께 들어 주는 것
법	신호등이 초록불일 때 횡단보도를 건너는 것	외출 시에 반려견에 목줄을 하는 것

10 법은 국가에 속한 모든 사람이 함께 지키지 않으면 위험하거나 불편한 상황이 발생할 수 있으므로 강제성을 지닙니다. ① 국가가 만든 사회 규범입니다. ② 법은 꼭 지켜야 하는 강제성이 있습니다. ③ 법은 사회 질서를 유지하는 역할을 합니다. ⑤ 모든 사회 구성원에게 적용됩니다.

11 ㉠과 ㉢은 도덕과 같은 사회 규범을 지키지 않는 모습이고, ㉡과 ㉣은 법을 지키지 않는 모습입니다.

12 법을 지키지 않으면 벌금을 내거나 경찰에 잡혀갈 수도 있습니다.

채점 기준	상	예시 답안과 같이 법으로 제재를 받는 상황을 구체적으로 쓴 경우
	중	법을 어긴 경우와 같이 미흡하게 쓴 경우

이런 답도 가능해!

• 학교의 물건을 훼손하는 경우입니다.
• 인터넷에서 악성 댓글을 쓰는 경우입니다.
• 공공 기관에 장난 전화를 하는 경우입니다.

❸ 법의 의미와 역할 (2)

79쪽 **기본 개념 문제**

1 ○ **2** 도로 **3** × **4** 권리 **5** 보호

80쪽~81쪽 **문제 학습**

1 ㉢ **2** ① **3** ⑴ ㉡ ⑵ ㉠ **4** ㉢ **5** ㉣ **6** ④
7 ⑵ ○ **8** 법 **9** 예 법에 따라 재판을 해 정당한
대가를 받을 수 있습니다. **10** ㉡ **11** ② **12** 예
법은 사고나 범죄로부터 사람들을 안전하게 지켜 주
어 사회 질서를 유지해 줍니다.

1 사람이 태어나서 출생 신고를 하는 일부터 학교에
가는 일 등 가정과 학교 주변에서 다양한 법이 적용
되고 있습니다. ㉢은 일상생활로 법과 관련이 없습
니다.

2 「저작권법」은 음악, 영화, 출판물 등 창작물을 만든
사람의 저작권을 보호하는 법입니다.

3 다양한 법들이 일상생활 곳곳에서 적용되어 사람들
이 안심하고 살 수 있도록 도와줍니다.

4 일정한 나이가 되면 모든 국민이 초등학교에 다니
는 것은 「초·중등 교육법」의 적용을 받는 것입니다.

> **자료 다시 보기**
>
> **일상생활 곳곳에 적용되는 법의 사례**
>
> | 「저작권법」 | 음악, 영화, 출판물 등 창작물을 만든 사람의 저작권을 보호하는 법 |
> |---|---|
> | 「도로 교통법」 | 도로에서 안전하게 다닐 수 있도록 만든 법 |
> | 「초·중등 교육법」 | 모든 국민은 일정한 나이가 되면 초등학교에 다니도록 정함. |
> | 「학교 급식법」 | 학생들의 건강과 성장을 위해 안전하고 영양가 높은 음식 재료를 사용하도록 보장함. |

5 ㉣ 법은 우리의 권리를 보호해 주면서 사람들이 안
심하고 살 수 있도록 도와줍니다.

6 우리 사회는 개인의 권리를 보장하고 안정된 사회
를 유지하고자 법을 만들었으며, 문제가 발생했을
때는 법에 따라 해결합니다.

7 개인의 생명과 재산을 보호해 주기 위해 법이 필요
합니다. ⑴은 환경 파괴와 오염을 예방하는 법이 없
을 때, ⑶은 개인 정보를 보호해 주는 법이 없을 때

발생할 수 있습니다.

8 법은 개인의 권리를 보호하는 역할을 합니다.

9 개인의 권리를 침해당했을 때 법을 적용하여 권리
를 구제받을 수 있습니다.

> **채점 tip** 법에 따라서 재판을 해 정당한 대가를 받을 수 있다고 썼
> 으면 정답으로 합니다.

10 ㉡ 무단 횡단은 다른 사람에게 피해를 줄 뿐만 아니
라 자신의 생명도 위협하기 때문에 법으로 금지하
고 있습니다.

11 제시된 사진은 도로의 교통질서를 유지하기 위한
표지판입니다. 이때 법은 교통질서를 유지하고 교
통사고를 예방하는 역할을 합니다.

12 제시된 일기에는 범죄가 일어났을 때 보호를 받은
일이 나타나 있습니다.

채점 기준	상	사고나 범죄로부터 사람들을 지켜 주어 사회 질서를 유지해 준다고 쓴 경우
	중	사회 질서를 유지해 준다고만 쓴 경우

> **자료 다시 보기**
>
> **법의 역할**
>
>
>
> 화재 등 위험으로부터 개인의 생명과 재산을 보호해 줌. / 자유와 권리가 침해되지 않도록 개인 정보를 보호해 줌.
>
>
>
> 개인 간에 발생한 분쟁을 재판으로 해결해 줌. / 도로의 교통질서를 유지하여 교통사고를 예방해 줌.
>
>
>
> 사건 사고나 범죄로부터 안전하게 지켜 줌. / 깨끗한 환경에 살 수 있도록 환경을 보호해 줌.

BOOK ❶ 개념북

2 단원

3 법의 의미와 역할 (3)

83쪽 기본 개념 문제

1 갈등 2 × 3 재판 4 ○ 5 지키지 않으면

84쪽~85쪽 문제 학습

1 (1) ○ (2) × 2 ③, ⑤ 3 ㉢ 4 ⑳ 하천의 동식물이 죽고 생태계가 파괴될 수 있습니다. 5 ② 6 새롬, 지원 7 (1) ㉡ (2) ㉠ 8 ① 9 ㉢ 10 ㉠ 11 ⑳ 쓰레기는 길거리에 버리지 않고, 휴지통과 같이 정해진 장소에 버립니다. 12 ②

1 법을 지키지 않으면 다른 사람에게 피해를 주고 다른 사람의 권리를 침해하여 사람들 간의 갈등을 유발합니다.

자료 다시 보기

법을 지키지 않을 때 발생할 수 있는 문제점

법을 어기는 행동	발생할 수 있는 문제점

소방차 전용 주차 구역에 불법 주차를 함.	불이 났을 때 소방차가 들어오지 못해 피해가 커짐.

반려견이 용변을 보았는데 치우지 않고 모른 척 함.	냄새가 나고, 배설물을 밟아 넘어질 수 있음.

공장의 폐수를 몰래 인근 하수구에 흘려보냄.	하천의 동식물이 죽고 생태계가 파괴됨.

2 반려견이 길에서 용변을 보았을 때 모른 척 하고 지나가면 주변에 피해를 줄 수 있으므로 배설물을 치워야 합니다.

3 소방차 전용 주차 구역에 불법 주차를 하면 길이 막히고 위급 상황에 대처가 늦어져 피해가 커질 수 있습니다.

4 법을 지키지 않으면 다른 사람에게 피해를 줄 수 있습니다.

채점 기준	상	하천의 동식물이 죽고 생태계가 파괴될 수 있다고 쓴 경우
	중	일어날 수 있는 문제점을 썼으나 그 내용이 미흡한 경우

5 그 사람이 정말로 죄를 지었는지 확인하거나 사회 질서를 바로 잡기 위해서 재판을 합니다.

6 법을 지키지 않을 때는 재판을 해 타인에게 피해를 준 사람의 권리를 제한하기도 합니다.

7 이 외에도 판사는 재판을 진행하고 법에 따라 판결을 내리는 사람이고, 피고인은 범죄를 저지른 것으로 의심이 되어 재판을 받는 사람입니다.

8 김불법씨는 김만화씨의 만화를 불법으로 △△△ 누리집에 올려 김만화씨의 저작권을 침해했기 때문에 「저작권법」을 어겼습니다.

9 ㉠ 제시된 모의재판에서 피고인은 김불법씨입니다. ㉡ 변호사는 김불법씨의 권리를 대신해서 주장하고 있습니다.

10 쓰레기를 아무 곳에나 버리는 모습은 법을 지키지 않는 모습입니다. ㉡은 초록불에 횡단보도를 건너는 모습으로 법을 지키는 모습입니다.

11 법을 지키지 않는 행동을 했다면 반성하고 준법 생활을 실천하기 위해서 노력해야 합니다.

채점 tip 쓰레기는 정해진 장소에 버려야 한다고 썼으면 정답으로 합니다.

12 법을 지키면 다른 사람의 권리를 보호하고 나의 권리도 보호할 수 있습니다. ② 개인의 권리를 보호하기 위해서 법을 지켜야 합니다.

86쪽~87쪽 교과서 통합 핵심 개념

1 권리 2 어린이날 3 마틴 루서 킹 4 헌법 5 청구권 6 납세 7 국가

1 세계 인권 선언 **2** 예 어린이가 안전하게 등하교할 수 있도록 어린이 보호 구역을 지정합니다. 몸이 불편한 사람도 대중교통을 이용할 수 있도록 저상 버스를 운영합니다. **3** ④ **4** 격쟁 **5** ④ **6** ③ **7** 헌법 재판소 **8** ① **9** ③ **10** 윤희 **11** ⑴ ○ ⑵ ○ **12** ③ **13** ⑤ **14** 예 개인 간에 발생한 분쟁을 해결해 줍니다. **15** ④

1 제시된 내용은 세계 인권 선언에 대한 설명입니다.

2 인권은 태어날 때부터 모든 사람에게 평등하게 보장되는 것입니다.

채점 기준	상	생활 속에서 인권이 존중되는 모습을 두 가지 모두 알맞게 쓴 경우
	중	생활 속에서 인권이 존중되는 모습을 한 가지만 알맞게 쓴 경우

3 허균은 서얼 출신인 홍길동을 주인공으로 내세워 신분으로 차별받는 사람들의 인권을 다루었습니다.

4 제시된 내용은 격쟁에 대한 설명입니다.

5 시각 장애인용 점자 안내도는 시각 장애인에게 건물의 기본적인 위치와 구조에 관한 정보를 제공하는 안내판입니다. 점자 블록은 시각 장애인이 안전하게 다닐 수 있도록 건물의 바닥이나 도로에 깐 블록입니다.

6 헌법은 국민의 자유와 권리, 인간다운 생활을 보장하기 위해 만들어진 법입니다. ③ 헌법은 법 중에서 가장 기본이 되는 법으로 헌법을 바탕으로 다른 법이 만들어집니다.

7 헌법을 기반으로 만들어진 법이 개인의 권리를 침해했다고 판단될 경우, 헌법 재판소에 심판을 요청할 수 있습니다.

8 헌법에는 근로의 의무가 나타나 있습니다. 헌법으로 보장되는 국민의 기본적인 권리를 기본권이라고 합니다.

9 제시된 헌법 조항에는 납세의 의무가 나타나 있습니다. ①은 국방의 의무, ②는 근로의 의무, ④는 환경 보전의 의무를 실천하는 모습입니다.

10 땅 주인의 입장에서 생각해 보았을 때 개인의 땅을 개발하지 못하게 하는 것은 자유권을 침해하는 것입니다.

11 ③ 법이 사회의 변화에 맞지 않거나 인권을 침해할 때는 법을 바꾸거나 다시 만들 수 있습니다.

12 ③은 지키지 않으면 주위 사람들의 따가운 시선을 받지만 벌을 받지는 않습니다.

13 제시된 글은 「어린이 식생활 안전 관리 특별법」에 대한 설명입니다.

14 재판을 통해 개인 간에 발생한 분쟁을 해결할 수 있습니다.

채점 기준	상	개인 간에 발생한 분쟁을 해결해 준다고 쓴 경우
	중	법이 개인의 권리를 보장해 준다고만 쓴 경우

15 소방차 전용 주차 구역에 불법 주차를 하면 불이 났을 때 소방차가 들어오지 못해 피해가 커집니다.

1 인권 **2** 예 어린이를 위한 잡지와 어린이날을 만들었습니다. **3** ⑴ ㉡ ⑵ ㉠ **4** ⑤ **5** 국가 인권 위원회 **6** ⑵ ○ ⑶ ○ **7** 예 헌법은 새로운 법을 만들 때 그 법이 국민의 인권을 침해하지 못하도록 합니다. 헌법은 국민의 인권을 보장하는 역할을 합니다. **8** ③ **9** ④ **10** ㉠ **11** ⑵ ○ **12** ① **13** ④ **14** ③ **15** 예 법을 어기면 다른 사람의 권리를 침해하기 때문입니다. 개인의 권리를 보호하고 사회 질서를 유지하기 위해서입니다.

1 인권은 모든 사람이 인간다운 삶을 살아가기 위해 당연히 누려야 할 기본적인 권리를 말합니다.

2 방정환은 아이들을 '어린이'로 부르며 어린이의 인격을 존중하자고 주장했습니다.

채점 기준	상	방정환이 어린이의 인권 신장을 위해 한 일을 구체적으로 쓴 경우
	중	어린이의 인권 신장을 위해 노력했다고만 쓴 경우

3 상언 제도는 신분과 관계없이 억울한 일을 문서에 써서 임금에게 호소하는 제도, 신문고 제도는 백성들이 억울한 일이 있을 때 대궐 밖에 설치된 북을 쳐서 임금에게 알리는 제도입니다.

4 계단을 오르지 못해 원하는 곳에 갈 수 없는 상황은 몸이 불편한 사람의 인권 보장이 필요한 사례입니다.

5 국가 인권 위원회는 어디에도 속하지 않는 독립적인 기구로, 모든 개인의 인권을 보호하는 일을 합니다.

6 ⑴ 헌법을 바탕으로 여러 법을 만들며, 그 법들은 헌법에 어긋나서는 안 됩니다.

7 헌법은 법이 인권을 침해하지 않는지 등을 판단하는 기준을 제공합니다.

채점 기준	상	예시 답안 중 한 가지를 알맞게 쓴 경우
	중	국민이 행복한 삶을 살아가는 데 도움을 준다고만 쓴 경우

8 참정권은 국가의 정치 의사 형성 과정에 참여할 수 있는 권리입니다.

9 모든 국민, 기업, 국가는 환경을 보전하기 위해 노력해야 할 의무가 있습니다.

10 권리와 의무가 충돌할 때 권리와 의무를 조화롭게 대하기 위해 노력해야 합니다.

11 ⑵ 도덕을 지키지 않은 상황으로, 법으로 제재를 받지 않는 상황입니다.

12 「저작권법」은 음악, 영화, 출판물 등 창작물을 만든 사람의 저작권을 보호하기 위해 마련된 법입니다.

13 우리 사회는 개인의 권리를 보장하고 안전한 사회 질서를 유지하기 위해서 법을 만들었습니다.

14 변호인은 피고인을 대신해 권리를 주장하고 억울한 부분이 없도록 도와줍니다.

15 이 외에도 법을 지키지 않으면 사회 질서가 유지될 수 없기 때문입니다.

채점 기준	상	예시 답안과 같이 법을 잘 지켜야 하는 까닭을 구체적으로 알맞게 쓴 경우
	중	법을 잘 지켜야 하는 까닭을 썼으나 그 내용이 미흡한 경우

> **이런 답도 가능해!**
> 법을 지키면 다른 사람의 권리를 보호하고 나의 권리도 보호하기 때문입니다.

94쪽 수행 평가 ❶회

1 격쟁 **2** 상소 **3** ㉙ 사람의 생명을 소중하게 생각했으며 억울하게 벌을 받는 일이 없도록 하고자 했습니다.

1 격쟁은 임금에게 억울하고 분통한 일을 직접 말하고 해결하기 위해 임금의 행차 때 징이나 꽹과리를 치는 것입니다.

2 신문고 제도는 북을 쳐서, 상언 제도는 문서를 써서 백성들이 억울한 사정을 알릴 수 있었던 제도입니다.

3 재판을 세 번까지 할 수 있는 제도는 오늘날까지 이어지고 있습니다.

채점 기준	상	예시 답안의 내용을 알맞게 쓴 경우
	중	예시 답안의 내용을 썼으나 다소 미흡한 경우

95쪽 수행 평가 ❷회

1 ㉠ 사회권, ㉡ 청구권 **2** ㉙ 헌법에는 대한민국 국민이 누려야 할 권리와 지켜야 할 의무가 나타나 있습니다. 헌법은 국민의 권리를 보장하고자 국가 기관을 조직하고 운영하는 기본 원칙을 제시하고 있습니다.

1 인간답게 살 수 있도록 국가에 요구할 수 있는 권리는 사회권이고, 기본권이 침해되었을 때 국가에 어떤 일을 해 달라고 요구할 수 있는 권리는 청구권입니다.

2 헌법은 모든 국민이 존중받고 행복한 삶을 살아가는 데 필요한 내용을 담고 있습니다.

채점 기준	상	헌법에 담긴 내용을 구체적으로 알맞게 쓴 경우
	중	헌법에 담긴 내용을 썼으나 다소 미흡한 경우

96쪽 수행 평가 ❸회

1 ㉠, ㉢, ㉤ **2** ⑴ 도덕 ⑵ 법 **3** ㉙ 법은 누구나 반드시 지켜야 하는 강제성이 있는 규칙입니다. 법을 어겼을 때는 제재를 받습니다.

1 ㉡, ㉢, ㉣은 지키지 않았을 때 법에 따라 제재를 받을 수 있습니다.

2 도덕과 같은 사회 규범과 달리 법은 지키지 않았을 때 제재를 받습니다.

3 법은 누구나 무조건 지켜야 하는 강제성이 있고, 이를 어겼을 때에는 제재를 받습니다.

채점 기준	상	강제성이 있는 규칙, 어겼을 때 제재를 받는다는 것 중 한 가지를 쓴 경우
	중	꼭 지켜야 하는 규범이라고만 쓴 경우

1. 국토와 우리 생활

① 우리 국토의 위치와 영역

2쪽	묻고 답하기 ① 회

1 아시아   2 대륙   3 영역   4 영공   5 독도
6 남북   7 중부   8 행정 구역   9 철령관
10 울산광역시

3쪽	묻고 답하기 ② 회

1 동쪽   2 바다   3 독도   4 12해리   5 비무장 지대
6 북부   7 경기   8 행정 구역   9 영남   10 도청

4쪽∼7쪽	중단원 평가

1 아시아   2 ④   3 반도   4 ㈜ 우리나라는 도로
나 철도를 이용해 대륙으로 나아가기 유리하고, 삼
면이 바다와 맞닿아 있어 해양으로 나아가기에도 좋
은 위치에 있기 때문입니다.   5 ㉠ 영공 ㉡ 영해
6 (1) 북쪽 끝 (2) 남쪽 끝   7 ㉡, ㉣   8 12
9 ㈜ 우리나라의 영역에는 우리 주권이 미치기 때문
에 다른 나라가 함부로 들어올 수 없어.   10 비무장
지대   11 ⑤   12 ②, ④   13 ㈜ 중부 지방의 남쪽
지역을 말합니다.   14 관서 지방, 관북 지방, 관동
지방   15 태백산맥   16 (1) ㉢ (2) ㉠ (3) ㉡   17 행정
구역   18 ③   19 ㈜ 특별시 1곳, 특별자치시 1곳,
광역시 6곳, 도 8곳, 특별자치도 1곳으로 이루어져
있습니다.   20 ①, ④

1 우리 국토는 아시아 대륙의 동쪽에 위치한 반도입
니다.

2 우리나라는 일본과 중국 사이에 위치하고 있으며,
우리나라 주변에는 중국, 러시아, 몽골, 일본 등이
있습니다.

3 우리 국토는 아시아 대륙과 연결되어 있고 삼면이
바다와 맞닿아 있어 해양으로 나아가기에 좋은 위
치에 있습니다.

4 우리나라는 반도 지형으로 이를 이용해 세계 여러
나라와 교류하고 있습니다.

채점 tip 대륙으로 나아가기 유리하고 삼면이 바다와 맞닿아 있어
해양으로 나아가기에 좋은 위치라고 썼으면 정답으로 합니다.

5 영해는 우리나라 바다의 영역을 말하며, 영공은 영
토와 영해 위에 있는 하늘의 범위를 말합니다.

자료 다시 보기	
영역의 구성	
영토	한 나라의 주권이 미치는 땅으로, 영해와 영공을 정하는 기준이 됨.
영해	우리나라 영토 주변의 바다로, 영해를 설정하는 기준선으로부터 12해리(약 22km)까지임.
영공	우리나라의 영토와 영해 위에 있는 하늘의 범위로, 다른 나라 비행기가 허가 없이 들어올 수 없음.

6 우리나라 영토의 북쪽 끝은 함경북도 온성군 유원
진, 남쪽 끝은 제주특별자치도 서귀포시 마라도입
니다.

7 영토는 그 나라의 주권이 미치는 땅의 범위를 말하
며, 우리나라의 영토는 한반도와 한반도에 속한 여
러 섬을 말합니다. ㉠ 영토는 영해와 영공을 정하는
기준이 됩니다. ㉢ 영토는 한 나라의 주권이 미치는
범위입니다.

8 영해는 기준선으로 부터 12해리(약 22km)까지입니
다. 우리나라 영해의 기준선을 정하는 방법은 동해
안과 서해안, 남해안이 서로 다릅니다.

9 한 나라의 영역은 그 나라의 주권이 미치는 범위로,
다른 나라 비행기나 배가 들어오려면 허가를 받아
야 합니다.

채점 tip 우리나라의 영역에는 우리 주권이 미친다고 썼으면 정답
으로 합니다.

10 비무장 지대는 최근 도라 전망대, 제3땅굴, 두타연
계곡 등을 보려고 이곳을 찾는 사람들이 늘어나면
서 한반도의 평화와 생태계 보전의 중요성을 다시
한 번 생각해 보게 합니다.

11 우리나라 사람들은 독도에 직접 방문하거나 독도
관련 행사에 참여하는 등 다양한 방법으로 독도 사
랑을 실천하고 있습니다.

12 북부, 중부, 남부 지방은 큰 산맥과 하천을 중심으
로 구분합니다.

13 휴전선 남쪽부터 소백산맥과 금강 하류가 만나는 선까지를 중부 지방이라고 합니다. 남부 지방은 중부 지방의 남쪽 지역을 말합니다.

> **채점 tip** 남부 지방의 의미를 정확히 썼으면 정답으로 합니다.

14 철령관은 군사적으로 매우 중요한 고개인 철령에 외적의 침입을 막으려고 건설한 방어 시설입니다. 이곳을 기준으로 방위에 따라 관서, 관북, 관동 지방으로 구분합니다.

15 영동 지방과 영서 지방에서 영(령)은 태백산맥의 진부령, 미시령, 한계령, 대관령과 같은 높은 고개들을 의미합니다.

16 우리나라의 전통적인 지역 구분은 오늘날 행정 구역을 정하는 기초가 되었습니다.

17 행정 구역은 나라를 효율적으로 관리하려고 나눈 지역을 말합니다.

18 ③ 우리나라는 특별시 1곳, 특별자치시는 1곳이 있습니다.

19 우리가 사용하는 행정 구역은 조선 시대 초기에 정해졌습니다. 각 도의 명칭을 정할 때는 대부분 그 지역의 중심 도시 이름을 따서 정했습니다.

> **채점 tip** 특별시 1곳, 특별자치시 1곳, 광역시 6곳, 도 8곳, 특별자치도 1곳으로 이루어져 있다고 썼으면 정답으로 합니다.

20 지금 우리가 사용하는 행정 구역과 행정 구역의 명칭은 조선시대부터 사용한 것인데, 강원도는 강릉의 '강' 자와 원주의 '원' 자를 따서 지역의 명칭을 정했습니다.

② 우리 국토의 자연환경

8쪽 **묻고 답하기 ①회**

1 지형 **2** ㉠ 동쪽 ㉡ 서쪽 **3** 홍수 **4** 동해안
5 남북 **6** 여름 **7** 터돋움집 **8** 자연재해 **9** 지진
10 안전 수칙

9쪽 **묻고 답하기 ②회**

1 지형 **2** 평야 **3** 산지 **4** 갯벌 **5** 기후
6 사계절 **7** ㉠ 남쪽 ㉡ 북쪽 **8** 북부 **9** 홍수
10 가뭄

10쪽~13쪽 **중단원 평가**

1 (1) ㉢ (2) ㉠ **2** 섬 **3** ② **4** ② **5** **예** 우리나라는 대체로 동쪽이 높고 서쪽이 낮은 지형이기 때문에 큰 하천은 동쪽에서 서쪽으로 흐릅니다. **6** ㉡
7 ③ **8** **예** 항구 주변에는 사람들이 많이 모이고 교류가 활발하기 때문입니다. **9** ③, ④ **10** 기후
11 **예** 겨울에는 북서쪽에서 차갑고 건조한 바람이 불어옵니다. **12** ④ **13** (1) ㉡ (2) ㉠ **14** (1) >
(2) > **15** 터돋움집 **16** ③ **17** ㉠, ㉡, ㉢ **18** ④
19 ① **20** **예** 다목적 댐을 건설합니다. 홍수가 발생하면 높은 곳으로 대피해 구조를 기다립니다.

1 하천, 산지, 평야, 해안, 섬 등 우리가 살고 있는 땅의 다양한 생김새를 지형이라고 합니다.

2 섬은 바다로 둘러싸인 땅을 말합니다. 남해안에는 크고 작은 섬이 많습니다.

3 ② 우리나라는 동쪽이 높고 서쪽이 낮은 지형입니다.

4 우리나라는 동쪽이 높고 서쪽이 낮은 지형이 나타납니다. 태백산맥은 우리나라 동쪽에 있는 산맥으로 남북으로 가장 길게 뻗어 있습니다.

5 우리나라는 대체로 동쪽이 높고 서쪽이 낮은 지형이 나타납니다.

> **채점 tip** 산지 지형의 특징과 관련해 높은 산들이 많아 땅의 높이가 높은 동쪽에서 땅의 높이가 낮은 서쪽으로 흐른다는 점을 썼으면 정답으로 합니다.

6 ㉠은 서해안, ㉡은 동해안입니다. 동해안은 해안선이 단조롭고, 길게 뻗은 모래사장이 펼쳐진 곳이 많아 여름이 되면 해수욕을 즐기려고 관광객이 몰려들기도 합니다.

7 서해안의 갯벌에서 사람들은 해산물이나 소금을 채취하기도 합니다.

8 해안 지역의 항구 주변에는 사람들이 많이 모이고 교류가 활발하여 도시로 발달하기도 합니다.

> **채점 tip** 사람들이 많이 모이고 교류가 활발하다는 점을 썼으면 정답으로 합니다.

9 ① 사람들이 여가 생활을 즐길 수 있도록 높은 산지에 스키장이나 휴양 시설을 만듭니다. ② 하천 중·상류에 다목적 댐을 건설해 홍수와 가뭄을 예방하고 전기를 생산합니다.

10 기후를 설명할 때는 한 지역의 기온은 어떠한지, 비나 눈은 얼마나 오는지, 또 어떤 바람이 부는지 등을 말합니다.

11 우리나라는 계절에 따라 불어오는 바람이 다릅니다. 겨울에는 북서쪽에서 차갑고 건조한 바람이 불어오고, 여름에는 남쪽에서 덥고 습한 바람이 불어옵니다.

채점기준	상	북서쪽에서 차갑고 건조한 바람이 불어온다고 정확히 쓴 경우
	중	북서쪽에서 불어온다고만 쓴 경우

12 차가운 북서풍을 막아 주는 태백산맥과 수심이 깊은 동해의 영향으로 동해안의 겨울 기온이 서해안보다 높은 편입니다.

13 기온이 높아 음식이 쉽게 상하는 남쪽 지방에서는 소금과 젓갈이 많이 들어간 음식이 발달했습니다. 반면 기온이 낮은 북쪽 지방에서는 싱거운 음식이 발달했습니다.

14 우리나라는 대체로 남부 지방이 북부 지방보다 강수량이 많고, 여름철이 겨울철보다 강수량이 많습니다.

15 비가 많이 내리는 지역에서는 집이 물에 잠기는 것을 막으려고 터돋움집을 지었습니다.

16 우리나라는 계절에 따른 강수량의 차이가 크기 때문에 평소에 물을 저장하여 가뭄 때 사용하려고 저수지를 만들었습니다.

17 ㉣ 미세 먼지는 자동차의 배기가스, 공장 등에서 배출하는 매연 때문에 발생하므로 황사처럼 자연재해로 분류하지 않습니다.

18 한파는 겨울철에 기온이 갑자기 내려가면서 발생하는 추위를 말합니다. ① 황사는 봄, ② 폭염은 여름, ③ 가뭄은 봄에 주로 발생합니다.

19 집 안에 있거나 등교나 하교 중일 때 지진 발생 시 행동 요령을 미리 숙지하여 피해를 줄이거나 예방할 수 있습니다.

20 홍수는 비가 많이 내려 물이 흘러넘치고 도로나 건물 등이 물에 잠기는 현상입니다.

채점기준	상	홍수로 인한 피해를 줄이기 위한 노력 두 가지를 정확히 쓴 경우
	중	홍수로 인한 피해를 줄이기 위한 노력을 한 가지만 정확히 쓴 경우

❸ 우리 국토의 인문환경

14쪽　묻고 답하기 ❶회

1 남서쪽　**2** 수도권　**3** 저출산　**4** 고령　**5** 일자리
6 신도시　**7** 중화학　**8** 첨단　**9** 광주　**10** 생활권

15쪽　묻고 답하기 ❷회

1 인문　**2** 촌락　**3** 인구 구성　**4** ㉠ 줄고 ㉡ 늘고
5 공업　**6** 공공 기관　**7** 남동　**8** 경부 고속 국도
9 교통　**10** 일자리

16쪽~19쪽　중단원 평가

1 남서쪽　**2** ㉢　**3** 예 65세 이상 노년층 인구는 1970년에 3.1%에서 2020년에 15.7%로 늘어났습니다. **4** ④　**5** ㈏　**6** ㉢　**7** ①, ⑤　**8** ②　**9** 예 대도시 주변 지역에 신도시를 건설해　**10** ⑴ ○　**11** ㉡ **12** ④　**13** 예 지역별로 자연환경과 인문환경이 다르기 때문입니다.　**14** 남동 임해 공업 지역　**15** ⑤ **16** ①　**17** 예 통학, 통근 등 사람이 일상생활을 할 때 활동하는 범위를 말합니다.　**18** ②　**19** 산업 **20** 은우

1 벼농사를 짓기 좋은 남서쪽의 평야 지역에는 인구 밀도가 높고, 북동쪽의 산지 지역에는 지형의 영향으로 인구 밀도가 낮았습니다.

2 ㉠ 북동쪽 산지 지역은 인구 밀도가 낮습니다. ㉡ 촌락 지역은 노년층 인구의 비율이 높습니다.

3 우리나라는 전체 인구에서 노년층이 차지하는 비율이 계속해서 늘어나고 있습니다.

> **채점 tip** 65세 이상 인구가 늘어났다고 썼으면 정답으로 합니다.

4 오늘날 우리나라는 14세 이하 유소년층 인구는 줄고, 65세 이상 노년층 인구는 늘고 있습니다.

5 두 인구 피라미드를 비교해 보면 ㈏가 ㈎보다 14세 이하 유소년층 인구 비율이 적고, 65세 이상 노년층 인구 비율이 높습니다.

6 인구 100만 명 이상인 도시는 1960년에는 서울, 부산 2곳이었지만, 2020년에는 서울, 부산, 인천, 대구, 대전, 광주, 울산, 수원, 용인, 고양, 창원 11곳입니다.

7 1960년대 이후 공업의 발달과 함께 사람들이 일자리를 찾아 도시로 이동하면서 본격적으로 도시가 발달하기 시작했습니다.

8 1970년대에는 대도시의 지속적인 성장과 더불어 포항, 울산, 마산, 창원 등이 새로운 공업 도시로 성장하면서 도시 인구가 크게 증가했습니다.

9 1980년대부터 고양시나 안산시 등과 같은 대도시 주변 지역에 신도시를 건설해 서울의 인구와 기능을 분산했습니다.

> **채점 tip** 대도시 주변 지역에 신도시를 건설했다는 내용을 썼으면 정답으로 합니다.

10 ⑵ 대도시에 인구와 여러 기능이 집중하면서 주택 부족, 교통 혼잡, 환경 오염 등의 도시 문제가 나타났습니다.

11 ㉡ 1960년대에는 풍부한 노동력을 바탕으로 섬유, 신발, 의류 등과 같이 가벼운 물건을 만드는 산업이 대도시를 중심으로 발달했습니다.

12 부산 주변에는 바다가 있어 원료를 수입하고 제품을 수출하기 편리합니다.

13 우리나라는 지역의 자연환경과 인문환경의 특성에 따라 다양한 산업이 성장했습니다.

> **채점 tip** 지역별로 자연환경과 인문환경이 다르기 때문이라고 썼으면 정답으로 합니다.

14 중화학 공업은 철, 배, 자동차 등 비교적 무거운 제품이나 플라스틱, 고무 제품, 화학 섬유 제품 등 원유를 이용해 다양한 물건을 만드는 산업입니다.

15 동해, 삼척 지역은 시멘트의 주원료인 석회석이 풍부해 시멘트 산업이 발달했습니다.

16 교통의 발달에 따라 생활권이 확대되어 사람들이 일상생활을 할 때 활동하는 범위가 넓어졌습니다.

17 오늘날에는 다양한 교통 시설이 국토를 그물망처럼 연결하고 있어서 사람들의 생활권이 넓어졌습니다.

> **채점 tip** 사람이 일상생활을 할 때 활동하는 범위라고 썼으면 정답으로 합니다.

18 ② 우리나라의 기후는 인문환경이 아닌 자연환경에 관한 내용입니다.

19 산업이 발달한 도시에는 많은 인구가 일자리를 찾아 이동하면서 교통과 산업은 더욱 발달하게 됩니다.

20 은우 – 교통의 발달로 지역 간 인구 이동이 증가했습니다.

20쪽～23쪽 대단원 평가

1 ㉡ **2** 예 우리 국토는 도로나 철도를 이용해 대륙으로 나아가기 유리합니다. 삼면이 바다와 맞닿아 있어 해양으로 나아가기에 좋은 위치에 있습니다.
3 ⑴ ㉡ ⑵ ㉠ **4** 휴전선 **5** ③, ④ **6** ②
7 세종특별자치시 **8** ㉠ 해안 ㉡ 평야 **9** ①
10 예 사람들이 논농사를 많이 짓습니다. 사람들이 많이 모여 사는 도시가 발달했습니다. **11** ⑤
12 예 여름, 덥고 비가 많이 옵니다. **13** ㉢
14 ①, ⑤ **15** ③ **16** ⑴ 인구 분포 ⑵ 인구 밀도
17 예 과거에는 농사지을 땅이 넓은 남서쪽의 평야 지역에 인구 밀도가 높았지만 오늘날에는 산업이 발달한 수도권과 대도시 지역에 인구 밀도가 높습니다.
18 ② **19** ⑤ **20** 인구

1 ㉡ 우리나라는 북위 33°～43°, 동경 124°～132° 사이에 위치해 있습니다.

2 우리나라는 대륙과 해양으로 쉽게 나아갈 수 있는 장점을 이용해 세계 여러 나라와 교류하고 있습니다.

채점 기준		
	상	우리 국토의 위치가 갖는 장점 두 가지를 정확히 쓴 경우
	중	우리 국토의 위치가 갖는 장점을 한 가지만 정확히 쓴 경우

3 국토는 우리가 살아가는 곳이며, 국토가 없으면 국가나 국민이 존재할 수 없습니다.

4 북부 지방은 지금의 북한 지역을 말하며 중부 지방은 휴전선 남쪽으로 소백산맥과 금강 하류가 만나는 선까지입니다.

5 오늘날 금강의 옛 이름은 호강으로, 호서 지방은 금강의 서쪽에, 호남 지방은 금강의 남쪽에 있어서 붙여진 이름입니다.

> **자료 다시 보기**
>
> **자연환경에 따른 지역 구분**
> 우리나라는 오래전부터 산이나 호수, 강, 바다, 제방 등의 자연환경을 기준으로 지역을 구분하였습니다.
>
>
> ▲ 의림지　　　▲ 금강　　　▲ 조령(문경 새재)

6 ①은 호남 지방, ③은 영남 지방, ④는 관서 지방, ⑤는 호서 지방에 대한 설명입니다.

7 우리나라의 특별자치시는 1곳이며, 세종특별자치시입니다.

8 해안, 평야, 하천, 산지, 섬 등 우리가 살고 있는 땅의 다양한 생김새를 지형이라고 합니다.

9 우리나라는 국토의 약 70%가 산지입니다. 높고 험한 산은 대부분 북쪽과 동쪽에 많기 때문에 큰 하천은 대부분 동쪽에서 서쪽으로 흘러갑니다.

10 비교적 낮은 평야는 서쪽에 발달했습니다. 하천 중·하류 주변 평야에서는 논농사를 많이 짓고, 평야에는 옛날부터 많은 사람이 모여들어 큰 도시들이 발달했습니다.

> **채점 tip** 예시 답안의 내용을 한 가지 이상 썼으면 정답으로 합니다.

11 제시된 사진은 해수욕장과 갯벌이 있는 해안 지형의 모습입니다. ⑤ 산지 지형을 이용하는 모습입니다.

12 여름에는 남쪽에서 덥고 습한 바람이 불어와 기온이 높고 비가 많이 내립니다.

채점 기준	상	여름이라고 쓰고, 덥고 비가 많이 온다는 점을 쓴 경우
	중	여름이라고만 쓴 경우

13 ㉠ 남쪽에서 북쪽으로 갈수록 기온이 낮아집니다. ㉡ 대체로 해안 지역이 내륙 지역보다 겨울에 기온이 더 높아 따뜻합니다.

14 가뭄은 오랫동안 비가 오지 않거나 적게 오는 기간이 지속되는 현상이고, 황사는 중국이나 몽골의 사막에서 발생한 모래 먼지가 우리나라까지 날아와 가라앉는 현상입니다.

15 한파가 발생했을 때는 강한 추위로부터 몸을 보호하고 체온을 유지하기 위해 장갑, 모자, 목도리 등을 착용합니다.

16 인구는 한 나라 또는 일정한 지역에 사는 사람의 수를 말합니다.

17 1960년대 이후 촌락에 사는 사람들이 일자리를 찾아 도시로 이동하면서 수도권과 대도시 지역에 인구가 많아졌습니다.

> **채점 tip** 과거와 오늘날에 인구 밀도가 높은 지역의 특징을 모두 썼으면 정답으로 합니다.

18 우리나라는 2018년에 노인 인구 비율이 14%를 넘어서 고령 사회에 도달했습니다.

19 ⑤ 공항의 수가 늘면서 비행기를 이용해 지역 간 교류가 더욱 활발해졌습니다.

20 인구는 교통의 발달과 산업, 도시의 성장에 영향을 주며 국토의 모습을 변화시킵니다.

24쪽	**수행 평가 ❶회**

1 (1) 동 (2) 일본 **2** ㉠ 대륙 ㉡ 바다 **3** ㉠ 한반도 ㉡ 바다 ㉢ 하늘

1 우리나라는 북반구의 중위도에 위치하고 있으며, 아시아 대륙의 동쪽에 위치한 반도입니다. 우리나라는 중국와 일본 사이에 있습니다.

2 우리나라는 우리 국토의 위치가 가지고 있는 장점을 이용하여 세계 여러 나라와 교류하고 있습니다.

> **자료 다시 보기**
>
> **우리나라 위치의 특징**
> • 우리 국토는 도로나 철도를 이용해 대륙으로 나아가기 유리합니다.
> • 삼면이 바다와 맞닿아 있어 해양으로 나아가기에도 좋은 위치에 있습니다.

3 한 나라의 영역은 그 나라의 주권이 미치는 범위로 영토, 영해, 영공으로 이루어집니다.

25쪽	**수행 평가 ❷회**

1 ㉠ 남쪽 ㉡ 북쪽 **2** ⑩ 태백산맥이 차가운 북서풍을 막아 주고, 수심이 깊은 동해의 영향 때문입니다.
3 (1) ⑩ 바람이 잘 통하는 모시옷을 만들어 입었습니다. (2) ⑩ 솜옷을 입어 몸을 따뜻하게 했습니다.

1 우리나라는 남북으로 길게 뻗어 있어 남쪽 지방과 북쪽 지방의 기온 차이가 큽니다.

2 우리나라는 차가운 북서풍을 막아 주는 태백산맥과 수심이 깊은 동해의 영향으로 동해안의 겨울 기온이 서해안보다 높은 편입니다.

채점 기준	상	태백산맥이 차가운 바람을 막아 주고, 동해가 수심이 깊기 때문이라고 쓴 경우
	중	태백산맥과 동해의 영향 때문이라고만 쓴 경우

3 옛날 우리 조상들은 여름에는 모시옷, 겨울에는 솜옷을 입었습니다.

2. 인권 존중과 정의로운 사회

① 인권을 존중하는 삶

26쪽 묻고 답하기 ❶회

1 인권　2 임산부 배려석　3 방정환　4 흑인
5 신문고 제도　6 격쟁　7 박두성　8 점자 블록
9 사회 보장 제도　10 존중

27쪽 묻고 답하기 ❷회

1 인권　2 권리　3 보호 구역　4 허균　5 테레사
수녀　6 상언 제도　7 세(3)　8 존중　9 교육
10 지방 자치 단체

28쪽~31쪽 중단원 평가

1 인권　2 ③　3 ⑴ 주차 구역 ⑵ 저상 버스　4 ②
5 ⑩ 가난하고 아픈 사람들을 위해 평생을 바쳤습니다.
6 ③　7 ④　8 ⑩ 임금에게 원통하고 억울한 일
을 호소하기 위해서입니다.　9 삼복제　10 준혁
11 상언 제도　12 ④　13 ③　14 ⑩ 자신의 권리
를 알고, 다른 사람의 인권을 존중할 수 있도록 하
기 위해서입니다.　15 ㉡, ㉢　16 ⑤　17 ⑩ 장애
인이 안전하고 편리하게 공공시설을 이용할 수 있도
록 하기 위해서입니다.　18 사회 보장 제도　19 ⑤
20 ②

1 인권은 사람이라면 누구나 태어나면서부터 당연히
누려야 할 기본적 권리를 말합니다.

2 인권은 인종, 국적, 성별 등과 관계없이 태어날 때
부터 모든 사람에게 평등하게 보장되는 권리입니
다. ③ 인권은 다른 사람이 힘이나 권력으로 함부로
빼앗을 수 없습니다.

3 생활 속에서 서로의 차이를 존중하는 것도 인권을
지키는 방법입니다.

4 ② 늦은 시간에 피아노를 치는 것은 다른 사람의 인
권을 침해할 수 있습니다.

5 테레사 수녀는 평생을 가난 속에서 고통받으며 죽
어가는 사람들과 버려진 아이들 그리고 노인들을
위해 헌신했습니다.

채점 tip 가난하고 아픈 사람들을 위해 평생을 바쳤다고 썼으면
정답으로 합니다.

6 방정환은 어린이를 미래 사회를 이끌어 갈 주인공
으로 생각해 소중히 여겼습니다.

7 마틴 루서 킹은 백인에게 차별받는 흑인의 인권을
신장하려고 노력했습니다.

8 제시된 그림과 같이 억울한 일을 당한 사람이 임금
의 행차 때 징이나 꽹과리를 쳐서 임금에게 호소하
는 것을 격쟁이라고 합니다.

채점 tip 임금에게 원통하고 억울한 일을 호소하기 위해서라고 썼
으면 정답으로 합니다.

9 무거운 형벌을 내릴 때 신분에 관계없이 세 번의 재
판을 하여 신중하게 결정하는 삼복제는 고려 시대
부터 있었습니다.

10 죄를 지은 사람에게 형벌을 내릴 때는 억울하게 벌
을 받지 않도록 세밀하게 조사하고 신중하게 결정
하도록 했습니다.

11 조선 시대에 일반 백성은 원통하고 억울한 일을 당
해도 하소연하기 어려웠습니다. 그래서 백성들은
억울한 일을 문서에 써서 임금에게 전하여 억울함
을 호소했습니다.

12 피부색이나 외모가 다른 사람에게 편견을 가지고
차별하면 안 됩니다.

13 점자 블록은 시각 장애인이 안전하게 다닐 수 있도록
건물의 바닥, 도로에 깐 블록입니다.

14 학교에서는 친구 사랑 편지 쓰기, 인성 교육, 학교
폭력 예방 교육 등 다양한 인권 교육 활동이 이루어
지고 있습니다.

채점 tip 자신의 권리를 알고, 다른 사람의 인권을 존중하도록 하
기 위해서라는 내용을 썼으면 정답으로 합니다.

이런 답도 가능해!

인권을 보호하고, 인권을 존중하는 사회를 만들기 위해서입
니다.

15 모든 사람이 행복한 삶을 누리기 위해서는 다른 사
람의 인권에 관심을 가져야 합니다. ㉠은 어린이의
놀 권리를 보장하고 있는 모습입니다.

16 ⑤ 시각 장애인용 점자 안내도는 시각 장애인에게 건물의 기본적인 위치와 구조에 관한 정보를 제공하는 안내판입니다.

17 국가, 지방 자치 단체는 모든 사람이 안전하고 편리할 수 있도록 공공 편의 시설을 설치하여 운영하고 있습니다.

채점 **tip** 안전하고 편리하게 시설을 이용할 수 있도록 하기 위해서라고 썼으면 정답으로 합니다.

18 우리 사회에서는 국가, 지방 자치 단체, 시민 등 사회 구성원들이 모든 사람의 인권을 위해 많은 노력을 하고 있습니다.

19 ⑤ 법을 만들어 시행하는 것은 어린이가 하기에는 어려운 일입니다.

20 우리는 일상생활에서 다양성을 인정하는 태도를 지니고, 상대방의 인권을 존중하는 말을 사용해야 합니다.

② 인권 보장과 헌법

32쪽   묻고 답하기 ❶회

1 헌법 **2** 권리 **3** 기본권 **4** 헌법 재판소 **5** 평등권 **6** 참정권 **7** 국방 **8** 납세의 의무 **9** 환경 보전 **10** 실천

33쪽   묻고 답하기 ❷회

1 의무 **2** 국민 투표 **3** 인권 **4** 사회권 **5** 자유권 **6** 제한 **7** 의무 **8** 교육 **9** 근로 **10** 조화

34쪽~35쪽   중단원 평가

1 (2) ○ (3) ○ **2** 국민 투표 **3** ⓒ, ⓒ, ⓔ **4** ③ **5** ② **6** 예 국가의 안전 보장, 공공의 이익, 사회 질서 유지 등을 위해 필요한 경우 기본권이 제한될 수도 있습니다. **7** (2) ○ **8** ① **9** ㉠ **10** 예 그 지역에 살고 있는 멸종 위기 동물이 사라질 위험에 처하게 될 것입니다. **11** ③ **12** (1) ○

1 ⑴ 헌법을 바탕으로 여러 법을 만들며, 그 법률은 헌법에 어긋나서는 안 됩니다.

자료 다시 보기

헌법에 담긴 내용
- 대한민국 국민이 누려야 할 권리와 지켜야 할 의무가 나타나 있습니다.
- 모든 국민이 존중받고 행복한 삶을 살아가는 데 필요한 내용을 담고 있습니다.
- 국민의 권리를 보장하고자 국가 기관을 조직하고 운영하는 기본 원칙을 제시하고 있습니다.

2 헌법에는 국가를 운영하는 데 가장 중요하고 기본적인 내용이 담겨 있으므로 헌법의 내용을 새로 정하거나 고칠 때는 국민 투표를 해야 합니다.

3 ㉠ 헌법에서 입법권은 국회에 속한다고 제시하고 있습니다.

4 참정권은 국가의 정치 의사 형성 과정에 참여할 수 있는 권리입니다.

5 평등권이란 법을 공평하게 적용받아 차별받지 않을 권리를 말합니다. ①은 자유권, ③은 청구권, ④는 사회권을 보장받은 사례입니다.

6 기본권은 제한될 수 있는 경우가 있지만 근본적인 내용은 함부로 제한할 수 없습니다.

채점 기준		
	상	'국가의 안전 보장, 공공의 이익, 사회 질서 유지'를 모두 포함하여 기본권이 제한될 수 있다고 쓴 경우
	중	'국가의 안전 보장, 공공의 이익, 사회 질서 유지' 중 두 가지 이상 포함하여 기본권이 제한될 수 있다고 쓴 경우

7 모든 국민은 나와 가족, 우리 모두의 안전을 위해 나라를 지킬 의무가 있습니다.

8 교육은 국민의 기본권인 동시에 의무입니다. 사회권(교육을 받을 권리)과 교육의 의무는 헌법에 나타나 있습니다.

자료 다시 보기

국민의 기본권이 나타난 헌법 조항

	헌법 조항
평등권	제11조 ① 모든 국민은 법 앞에 평등하다.
자유권	제14조 모든 국민은 거주 이전의 자유를 가진다.
	제15조 모든 국민은 직업 선택의 자유를 가진다.
사회권	제31조 ① 모든 국민은 능력에 따라 균등하게 교육을 받을 권리가 있다.
	제35조 ① 모든 국민은 건강하고 쾌적한 환경에서 생활할 권리를 가진다.

참정권	제24조 모든 국민은 법률이 정하는 바에 의하여 선거권을 가진다. 제25조 모든 국민은 법률이 정하는 바에 의하여 공무 담임권을 가진다.
청구권	제26조 ① 모든 국민은 법률이 정하는 바에 의하여 국가 기관에 문서로 청원할 권리를 가진다. 제27조 ① 모든 국민은 헌법과 법률이 정한 법관에 의하여 법률에 의한 재판을 받을 권리를 가진다.

9 글에서 나타난 제도는 인터넷 게임 셧다운제로, 청소년들의 인터넷 게임 중독을 막고 청소년들이 건강하게 성장할 권리를 보호하기 위해 시행하는 제도입니다.

10 땅 주인이 땅을 개발하면 멸종 위기 동물이 더 이상 그 지역에서 살 수 없게 됩니다.

채점 기준	상	멸종 위기 동물이 사라질 위험에 처하게 될 것이라고 쓴 경우
	중	환경이 보전되지 못한다고만 쓴 경우

11 권리와 의무 중 어느 하나만을 강조하는 것이 아니라 서로의 입장을 이해하고 공감하면서 권리와 의무를 조화시킬 수 있는 합리적인 해결 방안이 필요합니다.

12 권리와 의무가 충돌할 때는 권리와 의무의 조화를 추구하려는 노력이 필요합니다.

③ 법의 의미와 역할

36쪽	묻고 답하기 ❶회

1 법 **2** 제재 **3** 가게에서 돈을 내지 않고 물건을 가져가는 것 **4** 「저작권법」 **5** 놀이 시설 **6** 권리 **7** 환경 **8** 갈등 **9** 변호인 **10** 사회 질서

37쪽	묻고 답하기 ❷회

1 법 **2** 변화 **3** 도덕 **4** 일상생활 **5** 도로 **6** 권리 **7** 사회 질서 유지 **8** 어기는(지키지 않는) **9** 재판 **10** 권리

38쪽~41쪽	중단원 평가

1 ⑤ **2** ① **3** ㉠ 법, ㉡ 도덕 **4** ⑩ 도덕은 사람들이 양심에 따라 자율적으로 지키지만 법은 지키지 않았을 때 제재를 받습니다. **5** (1) ㉡, ㉢ (2) ㉠, ㉣ **6** (1) ㉡ (2) ㉠ **7** (1) ㉠ (2) ㉣ **8** 급식법 **9** ⑤ **10** ㉢ **11** ①, ④ **12** ⑩ 개인 간에 발생한 분쟁을 해결해 줍니다. 권리가 침해됐을 때 구제받을 수 있습니다. **13** ④ **14** ⑩ 어린이 보호 구역을 지정해 교통사고를 예방할 수 있게 해 줍니다. **15** ④ **16** 권리 **17** ④ **18** ⑩ 집 주변이 지저분해지고 집주인이 쓰레기 냄새 때문에 힘들어합니다. **19** ③ **20** ②

1 사람들이 도로에서 규칙을 지키지 않는다면 교통사고가 늘어나 운전자나 보행자 모두 위험할 수 있습니다.

2 법은 모든 사람이 지키기로 약속한 국가의 규칙입니다. ① 법은 꼭 지켜야 하는 강제성이 있어서 어겼을 때 제재를 받습니다.

3 법은 지키지 않았을 때 제재를 받는다는 점에서 사람들이 자율적으로 지키는 도덕 등과 구별됩니다.

4 법이 도덕과 같은 사회 규범과 가장 큰 차이점은 어겼을 때 제재를 받는다는 점입니다.

> 채점 **tip** 도덕은 사람들이 양심에 따라 자율적으로 지키지만 법은 지키지 않았을 때 제재를 받는다는 내용을 썼으면 정답으로 합니다.

5 ㉡, ㉢과 같은 경우에는 법에 따라 제재를 받지만, ㉠, ㉣과 같은 경우에는 주위 사람들의 따가운 시선을 받지만 벌을 받지는 않습니다.

6 아이가 태어나면 출생 신고를 하는 것, 일정한 나이가 되면 학교에 입학하는 것 등 일상생활 곳곳에 법이 적용됩니다.

7 법은 일상생활 곳곳에 적용되고 있으며, 우리 사회의 많은 일들이 법에 따라 이루어집니다.

8 「학교 급식법」은 학생의 건강한 식생활을 위한 법입니다.

9 「어린이 놀이 시설 안전 관리법」은 어린이가 안전하게 놀 수 있도록 놀이 시설을 정기적으로 관리하는 법입니다.

10 개인 정보를 보호하는 법이 없으면 개인 정보를 보호받기 힘들고, 개인 정보를 침해당했을 때 구제받기도 힘듭니다.

11 우리 사회는 개인의 권리를 보호하고 안정된 사회 질서를 유지하고자 법을 만들었습니다.

12 자신의 이익만을 생각해 일한 대가를 제대로 지급하지 않거나 남의 돈이나 물건을 함부로 빼앗는 행동은 다른 사람의 권리를 침해하고 사회 질서를 어지럽히는 모습으로 법에 따라 문제를 해결합니다.

채점 기준	상	'분쟁을 해결한다.', '침해된 권리를 구제받는다.'라고 쓴 경우
	중	개인의 권리를 보호한다고만 쓴 경우

13 제시된 사진은 소방관이 화재로부터 우리를 보호해 주는 모습입니다. 법은 화재 등 위험으로부터 개인의 생명과 재산을 보호하는 역할을 합니다.

14 법으로 어린이 보호 구역 내의 차량 운행 속도를 제한함으로써 교통사고를 예방해 줍니다.

채점 기준	상	교통사고를 예방할 수 있다고 구체적으로 쓴 경우
	중	'사회 질서를 유지할 수 있다.' 등과 같이 법의 일반적인 역할을 쓴 경우

15 개인의 권리를 보호하고, 사회 질서를 유지하는 역할을 합니다. ④ 법을 지키지 않은 경우, 재판을 통해 그 권리를 제한하기도 합니다.

16 법을 어기면 다른 사람에게 피해를 주고, 사회 질서가 제대로 유지될 수 없습니다.

17 법을 지키지 않으면 다른 사람의 권리를 침해하여 사람들 간의 갈등을 유발합니다. ④ 친구와의 약속을 어긴 것은 법과 관련이 없습니다.

18 남의 집 앞에 쓰레기를 함부로 버리면 집주인이 쓰레기 냄새와 처리 때문에 힘들어질 것입니다.

채점 기준	상	예시 답안과 같이 발생할 수 있는 문제점을 구체적으로 쓴 경우
	중	주변 사람들이 피해를 입는다라고만 쓴 경우

19 판사는 재판을 진행하고 법에 따라 판결을 내립니다. ②는 피고인, ④는 변호인, ⑤는 검사의 역할입니다.

20 이 외에도 법을 지키지 않으면 사회 질서가 유지될 수 없고 처벌을 받을 수 있기 때문에 법을 지켜야 합니다.

42쪽~45쪽 **대단원 평가**

> **1** 인권 **2** ③ **3** 허균 **4** 인권 **5** ① **6** ②
> **7** ③ **8** ③ **9** (1) × (2) ○ (3) × **10** 자유권
> **11** 예 쓰레기 분리수거를 합니다. **12** ④ **13**
> ① **14** 예 법이 사회의 변화에 맞지 않는 경우 법을
> 바꾸거나 다시 만들 수 있습니다. **15** ③ **16** ④
> **17** ③ **18** ③ **19** ㉠ 판사 ㉡ 검사 **20** 예 그 사
> 람이 정말로 죄를 지었는지 확인하고, 법을 어긴 행
> 동에 맞는 책임을 지게 하기 위해서입니다.

1 인권은 사람이라면 누구나 태어나면서부터 당연히 누리는 기본적인 권리입니다.

2 ③ 인권은 다른 사람이 힘이나 권력으로 함부로 빼앗을 수 없는 권리입니다.

3 허균은 양반 신분이지만 가난한 백성의 편에 서서 당시 신분 제도의 잘못된 점을 고쳐야 한다고 주장했습니다.

4 이태영은 우리나라 최초의 여성 변호사로 여성의 인권을 위해 노력한 인물입니다.

5 ① 봉수는 옛날에 적이 쳐들어오거나 위급한 상황이 발생했을 때 신호로 올리던 불로, 통신 수단입니다.

6 제시된 내용은 신문고 제도에 대한 설명입니다.

7 국가와 지방 자치 단체에서는 장애인이 안전하고 편리하게 공공시설을 이용할 수 있도록 편의 시설을 설치하여 운영합니다. ③ 횡단보도는 장애인만을 위한 공공 편의 시설은 아닙니다.

8 헌법에는 국민의 권리와 의무, 국가 운영의 기본적인 내용 등이 나타나 있습니다. ③ 헌법에 우리나라 역대 대통령의 이름은 나타나 있지 않습니다.

9 (1) 기본권은 국가의 안전 보장, 공공의 이익, 사회 질서 유지 등을 위해 필요한 경우 법률에 따라 제한될 수도 있습니다. (3)은 국민의 의무를 말합니다.

10 자유권은 자유롭게 생각하고 행동할 수 있는 권리입니다.

11 모든 국민, 기업, 국가는 환경 보전을 위해 노력할 의무가 있습니다.

채점 기준	상	환경 보전의 의무를 실천하는 사례를 구체적으로 한 가지 이상 쓴 경우
	중	환경 보전의 의무를 실천하는 사례를 한 가지 썼으나 미흡한 경우

12 모든 국민은 나와 가족, 우리 모두의 안전을 위해 나라를 지킬 국방의 의무가 있습니다.

13 땅 주인의 재산을 자유롭게 사용할 수 있는 권리와 환경을 보전할 의무가 서로 충돌하고 있습니다.

14 사회가 변화하여 법이 더 이상 맞지 않거나 인권을 침해할 경우에는 법을 바꾸거나 새로 만듭니다.

채점기준	상	법을 바꾸거나 다시 만들 수 있다고 쓴 경우
	중	법을 바꾼다고만 쓰거나 법을 다시 만들 수 있다고만 쓴 경우

15 ③은 도덕적으로 잘못된 행동이지만, 벌을 받지는 않습니다.

16 제시된 글은 「어린이 놀이 시설 안전 관리법」에 대한 설명입니다.

17 ①은 「초·중등 교육법」, ②는 「도로 교통법」, ④는 「저작권법」과 관련 있는 일상생활 모습입니다.

18 법은 사고나 범죄로부터 사람들을 보호하고 안전하게 지켜 줍니다.

19 판사는 법에 따라 판결을 내리는 사람이고, 검사는 범죄의 의심을 받는 사람(피고인)에게 법원의 심판을 요청하는 일을 담당합니다.

20 법을 지키지 않아 타인에게 피해를 준 사람에게는 재판을 통해 그 권리를 제한합니다.

채점기준	상	죄를 지었는지 확인하고, 법을 어긴 행동에 맞는 책임을 지게 하기 위해서라고 쓴 경우
	중	죄를 지었는지 확인하기 위함이나 법을 어긴 행동에 맞는 책임을 지게 하기 위함 중 한 가지만 쓴 경우

46쪽   수행 평가 ❶회

1 ㉡ **2** 놀 권리 **3** ⑩ 국가와 지방 자치 단체는 모든 사람이 안전하고 편리할 수 있도록 다양한 공공 편의 시설을 설치하여 운영하고 있습니다.

1 외모에 대해 편견을 가지고 차별하는 것은 인권을 침해하는 모습입니다.

2 ㉠의 내용은 어린이들의 놀 권리가 침해받고 있는 사례입니다. 어린이들이 안전하게 놀 수 있는 장소가 마련되어야 합니다.

---

3 국가와 지방 자치 단체에서는 장애인 공공 편의 시설을 설치하여 장애인들의 인권 보장을 위해 노력하고 있습니다.

채점기준	상	국가와 지방 자치 단체가 공공 편의 시설을 설치하여 운영하고 있다고 쓴 경우
	중	국가와 지방 자치 단체가 노력하고 있다고만 쓴 경우

47쪽   수행 평가 ❷회

1 ㉠ ⑩ 위급한 상황이 생겨 구급차나 소방차 등이 출동할 때 방해가 되어 제대로 된 구조 활동을 벌일 수 없습니다. ㉡ ⑩ 폐수가 하천에 방출되어 하천의 동식물이 죽고 생태계가 파괴될 수 있습니다. **2** ⑩ 법을 지키지 않는 행동은 다른 사람에게 피해를 주고 다른 사람의 권리를 침해하며 사람들 간의 갈등을 유발합니다. **3** ⑩ 법을 어기면 다른 사람의 권리를 침해하기 때문입니다. 법을 지키지 않으면 사회 질서가 유지될 수 없기 때문입니다. 법을 지키면 다른 사람의 권리를 보호하고 나의 권리도 보호할 수 있기 때문입니다.

1 ㉠은 소방차 전용 주차 구역에 불법 주차를 하는 모습이고, ㉡은 하수구에 폐수를 몰래 버리는 모습으로 모두 법을 어기는 행동입니다.

채점기준	상	예시 답안과 같이 빈칸에 들어갈 내용을 모두 알맞게 쓴 경우
	중	빈칸에 들어갈 내용을 한 가지만 알맞게 쓴 경우

2 법을 지키지 않으면 사회 질서가 유지될 수 없습니다.

채점기준	상	다른 사람에게 피해를 주고 다른 사람의 권리를 침해하여 갈등을 유발한다고 쓴 경우
	중	사람들 간의 갈등을 유발한다고만 쓴 경우

3 개인의 권리를 보호하고 사회 질서를 유지하기 위해서 법을 지켜야 합니다.

채점기준	상	예시 답안과 같이 법을 지켜야 하는 까닭을 두 가지 모두 알맞게 쓴 경우
	중	법을 지켜야 하는 까닭을 한 가지만 알맞게 쓴 경우

독해의 핵심은 비문학

지문 분석으로 독해를 깊이 있게!
비문학 독해 | 1~6단계

올바른 문학 독서법

문학 갈래별 작품 이해를 풍성하게!
문학 독해 | 1~6단계

결국은 어휘력

비문학 독해로 어휘 이해부터 어휘 확장까지!
어휘 X 독해 | 1~6단계

초등 문해력의 빠른시작

친절한 해설북

초등학교   학년   반   번   이름